D0549451

L'AMOUR SAUCE TOMATE

DU MÊME AUTEUR

Cette main qui enquête, poésie, Trois-Rivières, Écrits des Forges, 1994.

Les ailes inachevées du désordre, roman, Québec, Le Loup de Gouttière, 1994.

Dans le ventre du temps, roman-jeunesse, Montréal, Héritage, 1995.

Le visage des cendres, roman, Québec, Le Loup de Gouttière, 1995.

On a perdu la tête, roman-jeunesse, Montréal, Héritage, 1996.

Billi Mouton, roman-jeunesse, Montréal, Héritage, 1996.

Cet ouvrage a été publié grâce à l'aide financière
du Conseil des arts du Canada et de la Société
de développement des entreprises culturelles (SODEC).

Le Loup de Gouttière
347, rue Saint-Paul
Québec (Québec)
G1K 3X1
Téléphone : (418) 694-2224
Télécopieur : (418) 694-2225

Dépôt légal, 3e trimestre 1996
Bibliothèque nationale du Québec
Bibliothèque nationale du Canada
ISBN 2-921310-27-9
Imprimé au Québec

© Le Loup de Gouttière
Tous droits réservés pour tous les pays

Sylvie Nicolas

L'AMOUR SAUCE TOMATE

NOUVELLES

Œuvres de Jacques Jourdain

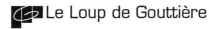 Le Loup de Gouttière

Bachelière ès arts, SYLVIE NICOLAS s'est longtemps engagée dans le milieu théâtral. Narratrice, professeure, metteure en scène, animatrice à la radio, recherchiste, rédactrice, elle se consacre à l'écriture depuis 1992. Auteure polyvalente, elle s'intéresse à plusieurs genres littéraires : poésie, roman, théâtre, conte pour enfants. Son écriture reflète une grande sensibilité et une émotivité à fleur de peau.

Originaire de Trois-Rivières, JACQUES JOURDAIN est diplômé de l'École des beaux-arts de Québec. Depuis 1958, il a présenté ses œuvres dans différentes galeries et lieux d'expositions un peu partout au Québec.

À Claude Roberto et Nicole Pageau
À Ève Marie pour la vie !

Merci à Selma et Francis
pour la description d'une sauce
qui a fait naître l'idée de ce recueil.

TOMBÉE, LA NUIT

C'était un soir de sauce et de maison. Un soir d'oignons, de carottes, de tofu et de graines de tournesol. Un soir de sauce végé bonne pour la santé. De tomates et de thym. D'élans de moi dans la cuisine où je chantais pour m'entendre chanter. C'était un soir de cœur léger et de pas dansés. Un soir où il n'y avait rien à bousculer. Pas même le silence alternant avec des bouts de refrains échappés. Un soir que ton visage à la fenêtre de la vieille porte et tes doigts qui demandaient à entrer ne pourront plus effacer.

Tu es entrée et tu as dit cet homme est le mien. Je ferai tout pour qu'il te quitte et vienne à moi. Tes lèvres ont souri. Et la nuit s'est ruée sur moi. Depuis cet instant, mes mots ont les ailes cassées. Je n'arrive plus à m'envoler. J'ai été fusillée par des yeux dans les aveux. Renversée comme une crème caramel. Basculée comme un chaland sous une vague démente. N'ai pas bougé. Ni souri. Mes lèvres fissurées. Le cœur délogé. Sous les pieds. Sur le prélart de la cuisine. Le plancher penché vers l'avant comme une proue piquant du nez dans le brisant.

Je t'ai regardée partir de dos. Te retourner. Revenir vers moi. Déposer un sac transparent sur la table. Tu as dit j'oubliais. Je t'ai apporté des muffins. Je sais que tu aimes les muffins. Je les ai faits ce soir. Ils sont encore chauds. Avec dedans des raisins de Corinthe. Et du son. Tu as souri. Tu t'es retournée. Tu as ouvert la porte. Tu as penché la tête. Tes cheveux ont glissé comme une magie noire. Tu t'es dépliée dans la nuit. Et la nuit s'est retournée pour m'avaler et, avec moi, le chili et le thym, le silence mesquin, les gouttes de sauce suspendues au bout de la cuiller de bois. La cuiller accrochée au bout de mes doigts. Et mes doigts pendus au bout de moi.

TOC. TOC. Sur le prélart fou de douleur.

Bouge, disent les gouttes. Verse la sauce, hurlent les pots. Tard, disent les doigts. Si tard, murmure le corps. Lâche tout, chuchote le cœur. Attends et oublie. Les mots. Le sourire. Le visage à la fenêtre. Les cheveux d'aigle dans la nuit. Et la nuit aussi.

Il suffit de s'asseoir. Sur le plancher froid. De déposer la cuiller dans le marais de sauce. De regarder les doigts glisser dans le rouge, dessiner des courbes, des étoiles et des cœurs dans la mare. Sentir les larmes épouser les yeux. Noyer les paupières. Pour s'entendre penser. Et lui ? Où est-il dans l'amour ? Est-il un pendu ? Ou un vautour ?

Nous n'avons rien vu, répondent les yeux. Rien senti avant qu'elle ne vienne dire son amour de lui, songe le cœur. Il est en train de te quitter, hurle le prélart. Et toi, tu es en train de le regarder te quitter, martèle la cuiller.

La tête se relève. Les muffins sont couchés sur le bord de la table. Ils sont trois, les muffins. Au son. À m'entendre penser.

Je renifle. Je vais me lever. Attaquer les muffins. Tuer les raisins-yeux qui me regardent tomber. Je vais étouffer le son. Émietter les gâteaux. Les pétrir pour les faire souffrir. Les écraser. Me venger sur le coin de la table. Et m'enfuir. Loin. Très loin. De la table et du prélart. Me lever. Me sauver. Faire mes valises et le quitter avant qu'il ne le fasse. Me cacher dans la garde-robe ou dans la cave aux souris. Me laisser grignoter dans la noirceur. Disparaître. Et m'enfoncer dans l'oubli. J'ai honte. Qu'il soit aimé d'une autre. Qu'il soit tricoté dans l'amour d'une autre. L'ai-je mal aimé ? Trop ? Pas assez ? Depuis trop longtemps ? Suis-je entrée sans le savoir dans l'amour terminé ?

Les muffins sont muets. Les yeux de Corinthe ne répondront pas. Je ne sais pas où aller dans la nuit. Où me cacher dans la gêne. Je ne sais pas où aller cogner avec mes valises à mes pieds.

Je me lève. Prends un linge sur le comptoir. M'agenouille pour essuyer la sauce sur le plancher. Me relève. Me colle le ventre contre la cuisinière. Les larmes coulent. Dans la sauce. Elles forment, les larmes, de petits lacs de surface. Je plonge la cuiller de bois. La cuiller rame dans la sauce. Les lacs disparaissent. J'ouvre les pots. Tous les pots. En soulève un au-dessus du gouffre. Emplis le pot. Le dépose. En remplis un autre. Brasse encore. Les petites graines de tournesol se cachent dans la sauce lisse. Je termine le troisième pot. L'abandonne. Racle le fond de la casserole. Le fond de la casserole où se dessine sans cesse le visage de l'homme aimé. Ses yeux bleus. Ses lèvres généreuses. Je brasse. Efface le visage. Quelques morceaux d'oignons, de minces râpures de carottes remontent à la surface. Se collent à la cuiller. Dernier pot. Cœur serré. Grognement sourd du frigo dans mon dos. On dirait une meute de loups tapis sous le lavabo.

Je vais jeter la sauce. Toute la sauce. La faire valser dans les toilettes. Actionner la chasse d'eau et faire disparaître toute trace de rouge. De cœur. De honte. Ou alors la verser sur moi. Partout. Dans les

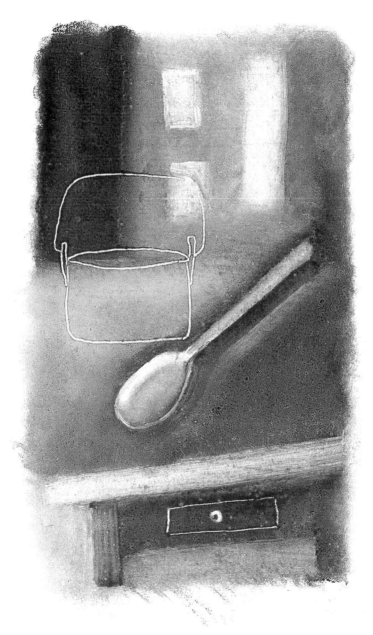

Abandonner la cuiller de bois

cheveux. Sur le visage. Dans les vêtements. Comme un sang épais et sourd. Un sang d'amour coagulé qu'il faut laisser sécher.

J'oublie la casserole. Mon regard inquiet dérive vers la porte. Derrière la fenêtre, c'est la nuit. J'ai envie de pleurer fort. D'éventrer la gorge pour libérer les larmes remontées. Ça brûle. Les mots reviennent me frapper. Cogner. La voix intacte répète il est à moi. Je le sais. Il te quittera et.

Ça revient. Tout revient. Les mots comme un souffle sur les mousses de pissenlit. Ça revient souiller le silence. Ébranler la nuit. Et moi aussi. La main abandonne la cuiller de bois. Une tache rouge sur le blanc du poêle.

Se rendre à la porte. Soulever le petit rideau de dentelle. Coller le front à la fenêtre. Dessiner de nouvelles lèvres de buée. Pleurer. Le front collé contre le carreau froid. Pleurer fort dans l'abandon de soi. Pleurer jusqu'au trottoir. Jusque dans la rue déserte à cette heure. Au bord du balcon croche. Pleurer sous le rideau de dentelle comme un voile de mariée sur la tête. Quitter le voile. Prendre le voile blanc suaire et le coller au visage. Ne plus jamais relever la tête. Ni le cœur. Ne plus quitter la porte. Ou le carreau de la fenêtre. Devenir bois. Soie. Dentelle. Nuit ou suie. Et retomber. Poussière dans la nuit. Reculer. Se tourner. Éteindre en passant la lumière du poêle. Traîner des ombres aux pieds. Entrer dans la chambre. Laisser choir les vêtements. Tous les vêtements. Se coucher nue dans le lit. Tirer le drap. Se retourner sur le ventre. Écarter une jambe. Un bras sous l'oreiller. Prendre tout le lit. Et attendre. La porte qui s'ouvrira. Le corps qui quittera la nuit et rentrera. Pour étouffer et faire taire l'écho de la voix qui ne cesse de tonner il est à moi.

Les yeux s'abîment sur l'oreiller mouillé. L'ongle gratte les plis du tissu. C'est pour ça qu'il rentre tard depuis quelques semaines maintenant. Qu'il rentre doucement sur le bout de la nuit. Sur la pointe des pieds. Effleurant à peine les plumes du sommeil. Qu'il ne soulève rien d'autre que les draps silencieux. Qu'il continue malgré tout à m'aimer. Que ses mains me cherchent davantage comme une bouée. Le matin. Le soir. Avant le travail. Au retour aussi. C'est pour avaler ce qui reste. Racler le fond de l'amour sauce tomate. Mettre l'amour qui reste dans les pots. Les fermer. Les sceller. Les oublier. C'est pour ça que les lèvres sont gênées avant l'urgence d'embrasser. Que les yeux se ferment aussi plus souvent qu'autrement. Pour ça.

Et les yeux n'ont rien vu. Yeux fous. Imbéciles. Idiots. Qui n'ont rien vu. Venir ou partir. Yeux caves comme le sous-sol où la fournaise et le chauffe-eau cachent, dans le gris du ciment, les petites souris qui remontent gruger les napperons de coton, la valise de paille rangée, les boîtes de carton qui attendent d'être remplies. Fermer les yeux pour tenter d'enfermer la fille venue dans la nuit et les mots de la fille sur le plancher de la cuisine. Mais les yeux fermés n'arrivent pas à faire disparaître les taches. De sauce. De honte. De désir. N'arrivent pas, les yeux, à fermer les pots remplis de peine.

La porte s'ouvre. Les pas chuchotent. Se taisent. Une main soulève le couvercle de la casserole. Dépose, la main, le couvercle de métal sur le comptoir. L'homme entre dans la chambre. Il entre dans mon dos. Il est debout. Au pied du lit. Je fais la morte. La portée disparue. La noyée que l'on retrouve. Je ne bouge pas. Respire à peine. N'ouvre pas les yeux. Ne gratte plus l'oreiller. Souffle difficile. Court. Saccadé. Ballon gonflé coincé entre le ventre et le matelas. Les vêtements tombent. Il se glissera entre les draps, poussera doucement ma cuisse, repoussera gentiment mon bras sous mon oreiller, se tournera sur le côté et. S'endormira.

Le corps est frais. Sa cuisse pousse la mienne. Son souffle est celui d'un étranger. Retenu. Sa tête se pose dans mon dos. Pleure-t-il dans le dos de ma nuit ? Ou est-ce la nuit qui pleure dans mon lit. Je m'étire. Il s'accroche au verso de ma vie. Je tremble comme un morceau de bois sur une rivière qui a froid. Je respire son souffle. Sa main glisse, se pose sur ma fesse qui. Chancelle.

Respire, que je me dis. Prends un long souffle. Relâche. Retiens le corps. Cesse-le de trembler sous la main. Mais le corps n'écoute pas. Le visage se frotte contre la taie d'oreiller pour éponger les larmes en cavale. Le corps crie aime-le comme un torrent d'étoiles dans le ciel. Aime-le comme jamais tu ne l'as aimé. Maintenant. Immédiatement. Retourne-toi. Et aime. Le. Fort. Dans la tendresse des draps qui fuient. Puissante dans la force du corps qui s'élève et remonte vers l'autre. Aime-le comme jamais tu ne l'as aimé. Partout à chaque pore retrouvé. Dans le creux des aisselles, dans le cou, sur la nuque. Derrière les oreilles. Accroche-toi à lui et aime-le sans pouvoir t'arrêter. Pour que jamais le corps ne puisse retomber.

Je ne bouge pas. Sa main descend de la taille au ventre. Remonte, la main, vers mes seins étranglés. J'étire la jambe. Feins le sommeil. Me laisse retomber sur le ventre. Enfouis ma tête. Qu'il ne voie ni les yeux, ni les joues embuées, ni les lèvres désertées, asséchées, ni le sel des larmes sur la langue. J'avale. J'expire. La main valse sur les fesses, remonte le dos, caresse les

épaules. Redescend. Urgente. Tendre. Mais urgente.
C'est en moi. Comme un dernier cri avant la mort.
Debout dans le cœur enchâssé. Ça monte fort et ça
prend toute la place dans le corps. Je glisse la tête.
Relève les épaules. Glisse ma jambe. Me retourne.
Ouvre les yeux. Ses yeux sont là qui me noient. Ses
lèvres sont déjà amarrées à mes côtés.

Je suis tendue et décédée dans le geste. Dans la
main qui s'accroche, dans les doigts qui refusent de se
commettre, d'être humiliés. Ils ne ressusciteront pas,
les doigts, pour caresser et annoncer le désir. Ils
resteront, les doigts, en exil, interdits de séjour, à
laisser faire ceux de l'homme. Pour la première fois,
les doigts ne seront pas complices. Ne diront pas, les
doigts, oui, je le veux. L'homme reculera peut-être.
Abandonnera, si les doigts ne veulent pas s'avancer.
Mais l'homme ignore les doigts comme si ses doigts à
lui pouvaient ce soir redessiner seuls tous les chemins
d'un nouveau matin. Ses lèvres plongent. Les
miennes s'ouvrent. Le désir est inchangé. Plus fort.
Plus grand. Je ne suis plus qu'un long baiser d'amour
exaucé. Qu'une liane sauvage avalée par le vent
des savanes. Mes cheveux se délient. S'étendent
comme des fils d'araignée. Se dénouent. Et s'allongent
comme des racines en folie dans le fond des forêts
d'Amazonie. Il n'est plus possible d'arrêter le baiser.
Ou le corps. De stopper la nuit. De déchirer les draps.

Il n'est plus possible de fuir. De faire les valises. Ou de cacher sa vie de souris. Les doigts ont trahi. Se sont mis à courir sur le corps retrouvé. N'existe plus le lit. N'existe plus la nuit. Que les étoiles vives et la soif de maintenant et d'ici. Que les forêts vierges et les lunes par la fenêtre. Que les mains d'urgence et les gestes comme autant d'oiseaux déplumés. N'existe plus le temps qui s'est arrêté au pied du lit. N'existe plus la porte qui s'ouvre et se referme sans arrêt sur ma forêt. Aime-le plus fort que le temps, le vent, la nuit et les souris. Aime-le comme une noyée avant de sombrer. Aime-le comme on aime dans la désespérance d'être quittée. Aime-le dans le fin fond des secrets, des pensées, des cœurs et des peurs. Plus jamais je n'ouvrirai les yeux. Je veux. Je veux. Je veux. Encore et toujours que les corps, les cœurs, les lèvres avalent le monde sans jamais s'arrêter. Je veux. Je veux. Je veux. Ici et toujours entrer dans l'amour comme on entre dans l'éternité des vents.

Ses bras retombent. Et moi sur lui. Retombent aussi, la nuit, le vent frais par la fenêtre ouverte dans mon dos, mon ventre au chaud sur le sien. Je n'ai pas ouvert les yeux. Ni bougé la tête sur son épaule. Sa main revient. Paume sur l'épaule. Jamais plus je ne bougerai, de peur que la terre se mette à trembler, de peur que le ciel ne soit irrémédiablement usé.

Il dit j'ai goûté la sauce. Je l'ai goûtée aussi dans le baiser. Mais je ne dis rien. Rien. Rien. Ni le baiser. Ni la sauce. Il dit elle est piquante et salée. Ce sont les larmes, je le sais, qui ont salé le baiser, mais je ne dis rien. Rien. Ni le sel. Ni la sauce. Je glisse sur le côté, me retourne, tire le drap sur ma tombe. Me couvre. Me cache. Dans le silence et dans l'oreiller, comme une petite souris sur le ciment gris.

J'entends des doigts qui pianotent contre le carreau de la vieille porte. Dans le petit salon. Mes oreilles sont enrubannées de peurs. Fermer les oreilles. Et espérer. Que tout cela soit inventé.

L'homme se lève. Il a entendu les doigts contre la fenêtre. Il met son pantalon. *Ne me quitte pas.* Mon corps devient une chanson. Il sort de la chambre. Mon cœur s'enfonce dans la jungle des draps remontés sous le menton. L'homme est dans le salon. Je ne l'entends plus marcher. Des signaux de fumée s'élèvent hors des cendres de mon feu d'été. Reviennent, ses pas. Remettent la chemise, ses mains. Ajustent la ceinture, ses doigts. À nouveau, mon corps feint la mort. Comment se retourner vers la vérité quand il fait nuit dans le lit ?

Il dit elle est là. Je vais la reconduire. Elle a peur dans la nuit. Je ne dis rien. Mes mots sont des poissons d'argile qui gisent au fond des mers. Il sort. La porte se referme. La maison est vide.

Il reste de la sauce dans la casserole. Et un pot propre à côté. Il reste un corps vide dans le lit. Et un cœur sans fond à côté.

Je me lève. Mes pas enfoncent le prélart de la cuisine. Mes mains s'ouvrent sur le bord de la table. Mes doigts étranglent le sac de plastique, le soulèvent et le traînent par les cheveux jusqu'à la poubelle. Mon pied actionne le levier. Je laisse tomber le sac de muffins dans le gosier de métal. Je retire mon pied. La mâchoire se referme.

Moi aussi, j'ai peur dans la nuit. Hurle la poubelle d'une petite voix de souris.

À L'ENCRE, OCÉANE

Trois paons sont venus. Se poser. Dans la cour vaste de sentiers. Il y a des hommes et des femmes éparpillés comme des tiges de peupliers. Bob est là. Et Laurent. Et Steve aussi. Il y a Julien. Et Ève. Et Suzie. Et bien sûr Océane. Plus loin, il y a Marie qui n'a que quatorze ans et le petit qui court nu dans la vie. Le soleil est là. Il se cache parfois derrière de longues effiloches de nuages gris. Mouillera ? Mouillera pas ? Les faiseurs de pluie ont leur propre vie.

Les corps se promènent. Dedans la maison. Dehors. Dans le silence et dans l'amour. Dans les conversations et tout autour. Laurent lit. Steve a fermé les yeux dans la chaise longue. Henriette s'est approchée et s'est assise au bout de lui. Elle caresse le pied de l'homme. La main légère d'Henriette étonne Suzie. À cause du discours féministe. Du voyage raconté. De l'Année internationale de la Femme. De la rencontre mondiale au Mexique. L'extrême caresse sur le pied étonne. Des mots de femme peuvent-ils raconter la mort pendant que des doigts frôlent un pied endormi ? Les mots d'Henriette nomment les femmes du monde entier. Les batailles, les luttes. Les injustices. Les petites filles excisées. Le cœur de Suzie n'arrête plus de frissonner. Ses jambes se serrent sur les images et sur les mots. Tous les mots qu'Henriette prononce et qu'elle étale comme du petit gravier dans la cour. Ève a levé le bras et souligné l'horreur, la lutte. Ses doigts allument et éteignent des cigarettes. Il y a les viols aussi. Les fillettes agressées, relance Ève. Les femmes battues. Abattues. Humiliées. Tordues. Disparues. Enterrées. Steve s'est assoupi. Henriette caresse le bout de sa vie.

Les mots de Suzie sont prisonniers. Son regard quête la liberté. Celle du paon qui sautille à côté. Elle enterre les monstruosités. Desserre les jambes. Souris parce que le petit tente d'attraper un paon, qu'il rit en courant, que son sourire s'envole comme par magie quand la queue du paon se referme. Pati ! dit le petit, en parlant de la queue. Encore ! crie le petit pour que le paon l'ouvre à nouveau. Mais qui aura compris qu'il voulait la queue du paon ouverte comme un éventail de beautés ? Océane s'élance et offre un sein à téter. Un sein cuivré d'amour et de liberté. La tête de Suzie fuit le sein. Ce sein qui s'offre soudain à téter l'air, l'espace, la Terre. Le regard de Suzie balaie la cour. Il fuit les discours et les seins trop lourds.

Steve a sombré dans l'enflure du monde. Il semble s'être arrêté sur le palier de sa propre vie. Pour se reposer de la psychologie qu'il enseigne au collège. Du jargon. De Freud. Du continent gris. Les mots dansent la claquette dans son oreille distraite. Les paons s'avancent vers Suzie. Le mâle déploie sa queue. Les femelles accourent. Suzie observe les plumes étonnantes de longueur, de hauteur. D'étendue. C'est beau. Dans cet instant, sous le soleil qui lorgne, dans la chaleur, malgré la terre qui se soulève au moindre vent, c'est beau, un paon qui s'ouvre sur le temps.

Ève écrase une autre cigarette. Ouvre une bière. Une autre. Marie, petite Marie esquisse un œil inquiet. À cause de la bière depuis le début de l'après-midi. Elle s'éloigne. Monte les marches de la maison. Dit, sans savoir si quelqu'un l'entend, je rentre aider Bob pour la sauce. Personne n'écoute Marie. Sauf Suzie qui hésite. Entre Marie. La bière qu'elle fuit. Et le petit qui hurle. Non. Non. De la tête. Du corps. Et des pieds qu'il fait gigoter. Il tend un bras vers le monde. Faut-il dire à Océane que son fils ne cherche pas le sein ? Faut-il dire à la mère que l'enfant désire le paon plus que le sein avec le lait dedans ?

Laurent ne lit plus. Il a abandonné son livre. Il arrive parfois que les philosophes déposent leurs livres de philosophie et se mettent à marcher dans la

Le petit à qui elle apprendra les bateaux

Vie. Il marche et Julien marche avec lui. Ils jasent. Leurs mains font des loupes dans l'air. Laurent baisse la tête sur le monde à refaire. La vie à repenser. Les textes anciens. Les pensées qui font les ponts entre hier et aujourd'hui. Tu veux une bière, Laurent ? crie Bob sur le seuil de la porte. Laurent remue sa tête de lion. Il a fait non. Des cheveux noirs et grisonnants. Il a fait un non long, du cou, de la tête sans que le corps ne bouge. Le silence s'étend. L'espace d'un seul instant. Sous lui. Sous ses pas. Sur plusieurs siècles de pensées déterrées.

Océane libère le petit qui se remet à courir. Qui tombe. Se relève et crie au paon d'ouvrir la queue et le temps. Océane replace le sein refusé dans la salopette noire. Et parle, Océane. De l'océan. Et raconte les plages de sable blanc, les bateaux qui l'ont vue grandir. Le petit. Le fils. À qui elle apprendra les bateaux. L'école sur les bateaux. Le fils, qu'elle amènera avec elle un jour, le fils. Quand elle quittera les paons, le bois, la maison et Bob. Les mots avalent l'air. Bob le sait-il ? se demande Suzie. Le sourire de Bob, un peu plus tôt, n'annonçait pas le départ. Le cœur de Bob pendu aux lèvres de la blonde Océane, sait-il qu'elle s'apprête à le quitter ? Suzie tourne la tête. Loin des cheveux blonds d'Océane. Loin de Bob. Retourne s'amarrer au corps étendu de Steve. Au sourire de Steve. Discrètement tendre. Au corps de Steve. Et à ses pieds. Qui ronflent en plein jour. Qui rêvent peut-être, les pieds. De souliers, de voyages, de nouveaux continents à explorer. Henriette délaisse le pied de Steve pour s'asseoir près d'Ève et continuer à jaser. Quand de nouveau Océane raconte les flots bleus, les vagues et la peau dorée sous le soleil. Vous restez tous à souper ? demande Océane en se tripotant les seins. Naturellement. Dans la question posée. Vous restez ?

Ève expire un oui enveloppé de ronds de fumée. Henriette acquiesce. Elle étire ses longues jambes, ses longs bras, redresse ses épaules. Bob a fait une énorme sauce à spaghetti, continue Océane qui se lève pour aller une nouvelle fois relever le petit, le remettre sur ses deux pattes dans la course avec les paons.

Suzie n'a pas dit oui. Elle s'est enfuie sur un autre continent. Un continent jamais encore reproduit sur les cartes de géographie. Elle n'est plus humaine, devenue paon peut-être. Il faudrait qu'elle s'envole. Qu'elle abandonne le monde. Qu'elle fuie. Par la forêt, le bois. Par la voie des airs ou en plongeant sous terre. Qu'elle s'oublie dans un sentier, une allée, le parc d'animaux à côté. Ses yeux se sont refermés. Sur une image d'homme qui l'enserre dans ses bras. Qui l'embrasse longtemps. Elle imagine Henriette, Steve, Ève, Laurent, Bob, Océane disparus en fumée de cigarette valsée. Les imagine endormis. Elle n'est plus là. Elle est terre inconnue. Inexplorée. À peine foulée. Sauvage et jamais capturée. Aérienne. Aviatrice. Atterrissant en Afrique avec Henriette. Venue là pour adopter toutes les petites filles mutilées. Soudain, elle ne parle plus le français. Ni l'anglais. Elle parle l'orang-outan. Traverse les océans. Se retrouve sur une île. Se retourne. Voit Océane faire un signe. Voguer sur les flots. Glisser dans les lagunes. Elle s'approche. Et se noie.

La porte claque.

Ève descend les marches, une bière à la main. Elle parle du dernier voyage en Europe. De Laurent et d'elle. Dans les îles grecques et en Espagne. Des olives noires et des oignons. Des bateaux, des corridas et du vent chaud. Henriette se tourne vers Suzie qui a rouvert les yeux. Elle demande si Suzie est allée. Suzie, petite souris, grignote un non. Elle circule lentement dans sa vie à pas de fourmi. Ses yeux sont tombés sur ses pieds. Ses pieds qui creusent sa terre oubliée. Ses sandales ont abandonné ses talons. Elle plante ses orteils dans le sable. Ses pieds voyagent au centre de la Terre. Elle tente de ne pas bouger. De ne plus lever les yeux. De ne plus regarder autre chose que ses pieds. Enterrés. Laurent a pris des photos, raconte Ève qui sort une enveloppe de son sac.

Bob chante dans la maison. Océane danse dans la cour, le petit accroché à son cou. Ses cheveux blonds ondulent comme des plumes de paon au vent. Le petit rit. Aux éclats. Comme des éclisses de bois, voltigent les cris du petit.

Julien et Laurent sont si loin. Près des sapins. Suzie pourrait se lever et aller s'accrocher à un de leurs bras. Elle pourrait poser sa tête sur une épaule. S'allumer elle aussi, une cigarette. Ou se coucher par terre à leurs pieds. Elle prie. Que le ciel se couvre. Que la pluie se mette à tomber. Que les faiseurs de pluie créent un orage furieux qui ferait fuir les invités. Que la terre se mouille. Qu'elle forme des ruisseaux, des rigoles, des remous et des gorges entre les corps. Que des ponts tombent. Que les maisons s'effondrent. Que la sauce colle au fond. Que Bob sorte de la maison en criant, désolé, on ne peut plus garder personne à souper. Que les paons se réfugient à ses pieds. Qu'ils viennent picorer ses mains. Ses orteils. Qu'ils l'entraînent dans la cour près du grillage à poule. Que tout le monde décide de partir. Qu'elle soit seule. Seule. Seule. Loin. Loin. Loin. De leurs mains tendues. De leurs mots arc-boutés. Occupée à les quitter. Abandonnée. Perdue. Vaste et déserte dans son silence. Égarée.

Marie est ressortie, un livre dans les mains. Elle lit *Dix petits nègres* d'Agatha Christie. Suzie est le personnage qui se réveille à la fin.

Lève-toi et pars, hurle le cœur de Suzie. Quitte le monde en ouvrant tes bras. Élève-toi vers le ciel. Vers les paons. Pars avec Océane. Apprends les bateaux. Les voiles. Les vents. Le sable blanc. Tourne ta vie vers Henriette. Tambourine avec elle et cours vers l'Afrique. Donne rendez-vous à Ève et Laurent en Espagne. Pars avec Julien pour Tombouctou ou Oulan-Bator. Cherche un chemin vers leur cœur.

Suzie lève la tête. Henriette a renversé la sienne. Ève s'est rapprochée de Laurent qui la prend dans ses bras. Océane a disparu. Le petit grimpe les marches de la maison à plat ventre. Ses fesses picotées de petits grains de gravier. Marie s'approche. Elle embrasse la joue de Suzie en passant. Elle rejoint Julien qui regarde Suzie. Laurent libère Ève qui lui renvoie un baiser soufflé dans le vent. Elle s'écarte de lui et de la philosophie.

Suzie est-elle en train de les quitter ? La voient-ils partir ? Est-elle un fantôme ? Une Blanche Dame en instance de revenance ?

Elle s'apprête à monter les marches. Le petit a fait volte-ventre. Il brasse ses fesses de bébé content dans le gravier et la terre au bas de l'escalier. Elle reste quelques instants sur le seuil. Le bois est partout. Dehors. Dans les arbres hauts et fiers. Dans le balcon vernis doré. Dans la maison. Comme un bateau. Avec les rideaux qui gonflent comme des voiles de chaque côté. Elle met un pied dans la maison. Elle entre dans le salon. De plantes. De livres. De lumière naturelle. De bougies et de chandelles. De petits cierges posés partout. De jouets d'enfant délaissés. De bureau plein de dossiers. De cartes géographiques sur les murs et de photographies de sourires. De Bob. Et d'Océane. D'eaux bleues dans leur dos. De soleil caressant leurs ailes d'ange. Leurs corps liés debout dans la photo couleurs. Leurs pieds enfouis dans le sable gris. Blanc. Écailles d'huîtres. C'est à elle qu'ils sourient. Elle doit essayer de sourire elle aussi. Un peu. Juste un peu. Un morceau de mur l'empêche de bien voir dans la cuisine. Bob est accroché à Océane. À son dos bronzé. Ses yeux sont fermés. Sa tête repose sur le haut du dos. Il est penché pour pouvoir se loger en entier dans la beauté frêle. Encore un peu la tête. Pour voir. Les bras se serrer autour de la taille. Et le corps d'Océane dériver devant la cuisinière.

Ève est déjà là. Suzie ne l'a pas vue entrer. Elle est face à elle. À l'autre bout. Ève inhale longuement. La tête rejetée en arrière. Les mains d'Océane brassent la sauce. Les doigts dispersent le sel comme des cendres au-dessus de la mer. Empoignent le poivre, les doigts. Saupoudrent. Redéposent sur le comptoir la poivrière. Océane ondule. Comme une petite barque enchaînée à un large bateau. Houleuse et fragile dans la vague.

Ève hume les vapeurs de sauce. Tète à pleines lèvres sa cigarette. L'écrase d'une suite de petits gestes secs. Océane brasse toujours. Partout sur le comptoir, des monceaux de râpures de carottes, de branches de céleri, d'épices délaissées, de pelures d'oignons. Suzie est à mi-chemin. À mi-mur. À regarder. À respirer l'odeur de l'amour. Des tomates. Et des épices qui s'y mêlent.

Océane ouvre une boîte de conserve. Son corps avance par soubresauts. Bob a déposé au même rythme quelques furtifs baisers sur le haut de la nuque. Ses cheveux noirs se mêlent aux bretelles de la salopette d'Océane. Ève a sur les lèvres un désir suspendu. Ténu peut-être. Un désir qui lie entre eux les yeux, la tête renversée, la dernière fumée relâchée.

Le petit se glisse entre les quatre jambes de ses parents. S'accroche aussi à la proue qu'est sa mère. La boîte de conserve crache un clic. Des champignons ? Le couvercle retombe sur le comptoir. Océane lève la boîte au-dessus de la casserole fumante. Bob a pris l'enfant-océan dans ses bras. Le visage d'Ève traverse la fumée. Océane plonge ses doigts dans la boîte. Les ressort. De longues coulées noires fuient le long de ses bras. Des calmars ! crie Ève. Quelle bonne idée ! L'encre noire tombe par flaques morbides. Suzie s'approche. Malgré elle. Comme on approche de la peur.

De l'inconnu. Pour voir. Pour comprendre. De petites choses à pattes gigotent, mortes pourtant, entre les doigts noircis d'encre d'Océane. Et retombent. Floc. Dans la casserole grise. Dans le rouge de la sauce. Un cœur se lève. C'est celui de Suzie. De peur. D'effroi. Mal au cœur debout. Et envie de vomir tout à coup.

Les jambes courent aux toilettes. Le corps se penche. Le pied pousse la porte. Un haut-le-cœur s'esquisse. Rien. Entre les lèvres. Un vent de fièvre. Sous les bras. Entre les cuisses. Sous les seins. Dans le cou. Un frisson sur la nuque. De la sueur au front. Les genoux abdiquent. Le corps se retourne. La main pousse le crochet. Le visage plonge dans le blanc des toilettes. Respirer l'eau. Fermer les yeux. Oublier. Les petites pattes noires accrochées pour ne pas tomber. Merde. Où sont les ailes de paon de Suzie ? Pourquoi n'est-elle pas née hirondelle ? Une flaque de rires grande comme un étang dans la cuisine. Bébé ! crie Océane. Bébé, répète Ève.

Le mal de mer monte aux lèvres. Les jambes molles. Le visage inerte se cale dans la peur. Peur de quoi ? se demande Suzie. Peur de l'encre noire tombée dans la sauce rouge sang. Peur des petits cris de souris. Peur des calmars qu'elle n'arrive pas à calmer. À faire cesser de crier. C'est fou. Complètement fou. Mais l'océan entier est logé dans son corps démembré. Comment dire au monde que les calmars dans la sauce continuent de crier ? Que leurs tentacules s'accrochent. Que leurs jets d'encre écrivent une nouvelle folie. Folle, ma vieille. Totalement folle. Et morte de peur dans une salle de bain en couleurs. Folle et apeurée. Cachée. Tapie. Enfermée. Qu'on l'enterre et l'ensevelisse. Qu'on l'oublie. Que le bol des toilettes l'avale, la gobe et la rejette. Les haut-le-cœur montent comme des vagues. Océanes. Mon Dieu. Océane. Que dire à Océane. Adieu et bon voyage sur l'eau dans le bateau. Avec le fils. À bientôt. Ou. Ne rien dire d'autre que. Au revoir. En espérant ne pas être la seule à la regarder quitter Bob. Si Suzie sort de la salle de bain. Et si elle sort de là, vivante sans avoir avalé aucun de ces monstres des mers. Elle jure. Jure. Que jamais plus elle n'acceptera d'invitation à souper. Qu'elle restera cloîtrée dans un appartement trop petit pour les soupers. Qu'elle finira sa vie dans un monastère. Au pain et à l'eau. À imaginer qu'il existe de par le monde des milliers de frontières, d'océans amers, de calmars et de paons qui vivent à découvert.

La main de Suzie attrape une débarbouillette. Ses genoux se relèvent. L'autre main ouvre le robinet d'eau froide. Laisse le tissu de la débarbouillette s'imbiber totalement. Dégoutter lourdement. Les doigts se serrent autour. Égouttent. Ramènent le tissu opaque sur le visage. Épongent la nuque. Longuement, pressent le linge sur les joues. Les yeux se mettent à cogner. Du marteau. Dans la tête. Le corps doit se lever. La tête se relever. Les doigts déposent la débarbouillette. Lissent le linge sur le bord de l'évier. La main soulève le crochet. La tête comme un hochet. On inspire. On expire. Le temps à peine de retourner le corps. Et ça sort. Comme des rivières englouties. Par grandes secousses. La joie monte. En même temps que le cœur. La peur se libère. Les tempes piochent sur l'enclume. L'estomac s'est déchaîné. Les genoux sont à nouveau pliés. Le corps vomit l'après-midi. Les petites filles africaines. Leur sang séché. Leurs lèvres infibulées. Les petits clitoris tombés dans des bols d'eau sale comme des calmars dans une mer de sauce. Les préjugés. L'ennui. L'amour en sursis. Les voyages. La philosophie. La psychologie. Le continent gris. Les yeux d'Henriette avalés comme des balles de fusil. La bière. Jaune pipi. Retombe à grands flots le torrent restitué d'images, de mots, de pensées, de milliers et de milliers de petits calmars tachés d'encre dégoulinant de goudron noir et blond.

Ça va pas ? questionne Marie de l'autre côté de la porte. Ça va pas ? répète Marie derrière Suzie. Je vais chercher papa. Suzie étreint le bol de toilette à deux bras de tendresse. Elle flatte les flancs blancs. Épouse le froid mordant. Les pas précipités du monde claquent entre ses dents. Se ruent de l'autre côté de la porte fermée. La vie finira par cesser de se vomir. De se restituer. Les vagues infernales finiront par rejeter l'Atlantide disparue, enfouie, ensevelie, noyée qui tente de remonter le long d'un corps secoué. La gorge se resserre. Le haut-le-cœur se terre. Et puis, magique et peuplée d'amour. La main de Julien accoste le dos de Suzie. Son épaule. Caresse sa joue. Sa nuque. Les mots sont magiques. Ils disent, les mots, ce que Suzie rêve d'entendre. Tu veux partir ? Sauvée de son propre naufrage, la tête fait oui. Un faible oui. Sans élan. Un oui abandonné. Donné. Comme on donne. Un oui petit comme un nombril de bébé qui sourit. Un oui qui espère des océans de lèvres et de baisers ensablés. Un oui sans peut-être. Un oui de hoquets, d'air et de forêt. Le corps s'étire. Long, le corps. À souhait. Avec dedans. Une pomme de tire léchée par de faux bourdons, une chansonnette légère tissée d'oranges et de prières.

Julien a refermé la porte. Il murmure. De sa voix s'échappent de petites déchirures de mots. Ici et là. Chaleur. Allergie. Fatigue. On va rentrer, dit Julien. Déception dans les voix de femmes. On lui installe une chaise à l'ombre, suggère Ève. Un lit dans la chambre du haut ? propose Océane. Qu'elle s'allonge sur le divan, avance Henriette. Julien dit qu'il ne sait pas. Mais le cœur de Suzie sait.

Les mains essuient le visage. Les yeux n'osent regarder la face dans la glace. Tout pour éviter un regard. Les yeux de Suzie sont enflés comme des tomates mexicaines. Les mains achèvent d'éponger son visage. Le souffle se redessine. La main a tiré la chasse d'eau plusieurs fois. La voix de Marie traverse les étoiles, les jungles, les savanes, la porte. Ça va ? Ça va, répond la voix mécanique de Suzie. Ça va aller. Les jambes se tortillent nerveusement. Tendons déchaînés. La vie qui se vomit fait trembler les continents et les jambes des gens. Un regard malgré tout. Un petit bout de joue. Juste un peu. Demi-miroir. Demi-joue. Et puis l'œil droit. Et le front. Un peu rouge. Et un peu blanche, la peau. Un peu gonflée aussi. Sous les yeux. Mais pas si mal. Enfin. Pas aussi délavée, l'image, que l'esquisse anticipée. Ils sont peut-être tous derrière la porte à attendre que je sorte, songe Suzie. Pour regarder. Voir. Pour demander. Pour dire. Ce n'est pas si grave. Ça ira. Allez, reste à souper.

Suzie blêmit de l'intérieur. Elle pâlit. Elle est caméléon. Sa peau change de couleur. Elle est grise soudain en ouvrant la porte. Et gravés à jamais sur les parois de sa caverne, dans le mur de sa honte, sa peur et sa mort dans l'âme. Jamais, se dit-elle, jamais, même sous la torture, elle n'avouera que les calmars se sont précipités sur son cœur.

Dehors. Julien parle avec Laurent, Bob et Steve. Dans la pièce. Marie se lève. Suzie ne l'avait pas vue. Elle était calée dans un vaste fauteuil, avalée par le haut dossier. Ça va ? Ça va. Suzie sourit. Elle marche vers la porte. Un pied sur le balcon. Son corps quitte la maison. Retrouve le soleil qui se colle à son front.

Comment va la grande malade ? demande Ève en riant. Ça va. Suzie dit ça va. Elle s'assoit sur un banc. Julien se retourne. Marie est là debout devant les vastes fenêtres ouvertes. Les voiles du bateau-maison se gonflent de chaque côté d'elle. Vous restez ! bondit Océane qui essuie ses mains dans un linge tacheté d'encre noire. Suzie ne répond pas. Elle se repeuple. Elle cherche les paons. Se lève. Embrasse Océane et dit merci. Elle a oublié de boire de l'eau. Le goût amer de ses écumes sombre dans l'air.

Elle marche lentement dans l'allée. Tout s'éloigne derrière. Les voix. Les arbres. Les rires. Les paons viennent voler au-dessus de sa tête. Ils plongent de l'autre côté du grillage à poule pour rejoindre la faune à demi sauvage de l'autre côté. Le bébé crie pati ! Et Suzie sourit. Elle aspire l'air à grandes goulées. Avale l'atmosphère. Emplit ses poumons de l'air des bois. Hume les fougères naissantes. Marche jusqu'à la voiture. Julien la rejoint. Elle se retourne. Laurent s'est remis à lire. Ève avale une autre bière. Marie joue avec

À l'encre, Océane

le petit. Océane embrasse Bob. Bob enlace l'éternité. Steve s'est étendu à nouveau dans sa vie. Sur le radeau de la psychologie. Henriette s'est rassise au bout de lui.

Julien ouvre la portière. Suzie s'installe dans la voiture. Ils ne parlent pas. Julien démarre. Tout s'éloigne. Un souffle, enfin, un vent réinvente un continent. L'Atlantide abandonnée resurgit. Demain, Suzie s'envolera. Demain. Elle quittera la Terre. Elle deviendra tourmente. Étoile filante. Elle montera plus haut. Elle ira déposer sa tête sur les genoux d'un dieu grec, romain, celte ou marin. Elle ira danser avec les Pléiades. Laper un peu de Voie lactée. Elle ira. Demain. Enjamber le destin.

Elle pose la tête sur le dossier. Le moteur ronfle. Le ciel déchiquette les nuages gris souris. Elle s'oublie. Sans rien dire. Sans dire, surtout. Les calmars tombés ou la Voie lactée. Sans pouvoir dire quoi que ce soit. Ni les tourmentes. Ni les étoiles filantes. Ni les bateaux. Ni l'Afrique. Ni Océane. Ni l'encre vue pour la première fois loin du papier. Dans la sauce, tombée.

Julien se met à chanter et, avec lui, elle chante aussi.

LE NID D'HIRONDELLES

Il est une fois une amitié hantée. Une maison, un jardin, un garage blanc et un nid d'hirondelles. Il est une fois des mots tombés. Comme des pierres. Venus ensevelir des cadavres d'amitié sans cimetière.

Dans cette histoire, il y a un homme qui aime une femme. Il y a un jardin, des fleurs et du gazon. Il y a des saules pleureurs et un vent doux qui soulève les manches des vêtements de la femme. Il y a moi aussi venue une dernière fois pour partager un repas. Et mon homme, comme un seul homme, resté à l'écart de moi.

Je suis debout. Et seule sous le saule. La femme voltige autour de la cour. Elle s'élance et m'enlace. Je songe alors que le vent pourrait me repousser vers les champs. Elle encage ma main et me mène comme un poussin en dandinant côté jardin. Elle déploie les bras comme une déesse de bois. Elle devient cheval. Hennit et rit. Elle me donne à admirer le jardin comme un cadeau de satin.

L'homme s'avance à petits pas étroits. Ses cheveux sont gonflés. Très gonflés. Le vent sournois tente de s'y glisser. Lutte le vent, pour pénétrer le toupet crêpé et repousser le nid de cheveux vers l'avant.

La femme se retourne. Baignée de soleil, de gazon, d'air et de beautés d'été, elle dit. Tu aimes sa nouvelle tête. C'est moi qui l'ai créée. Et je l'ai averti. Ne va pas te flanquer aux quatre vents et tout gâcher.

Je n'ose plus regarder. Mon homme a échappé aux cheveux. Et au vent. Il s'est réfugié dans un autre instant. Un autre temps. Loin des mots. Des images. Et de la falaise de malaises. Lui, le sien, sourit. Au diable vert. Il regarde ses souliers vernis. L'apéro, mon loup, chantonne la femme. Je lève les yeux. Son sourire est plus large qu'une barge. L'homme s'anime. Me regarde. Ses yeux s'allument et me fardent. Il récite, bon enfant, impeccablement, la liste des apéros. J'attends qu'il finisse. Par politesse. Pour lui donner le temps de tout dire. D'énumérer. De ne pas se tromper. Il ne faut pas qu'il se trompe. C'est un homme en danger de se tromper qui en ce moment achève de s'exécuter. Je croise les doigts pour qu'il ne se trompe pas. Je croise le savoir-faire et la volonté de fer dans l'espoir véritable qu'il sera sauvé. De quoi ? Bon Dieu ! De quoi ? Je ne sais pas. Mais je sais qu'il en va de sa vie, du vent et des mots dedans.

Finalement, je dis Cinzano. Moitié-moitié, ajoute la femme. Pas vraiment. Moitié-moitié, insiste-t-elle. Lui, ne dit rien. Moi, je veux bien. Je ne résiste pas. Glaçons, crie-t-elle. Il s'éloigne à pas de petit loup. La tête penchée, la main levée pour dire qu'il a entendu. Il s'approche de mon homme pour *perroquer* la liste. Je le regarde disparaître. Les manches du vêtement de la femme battent au vent. Elle s'empresse de me confier. Les fiançailles. Le mariage. La maison qu'elle va mettre à un nom. Pas le sien. Un autre. Pour que l'ex-femme, l'ex-folle, ne vienne pas fourrer son nez dans l'amour rénové comme la maison. Le mot *folle* tombe sous mes talons. Mes oreilles se referment trop tard sur le mot qui s'empresse de me posséder, requin de colère dans les eaux du soleil d'été.

J'esquisse un pas. Elle me retient. Par le bras. Elle dit alors. Tout ce qu'elle sait de la folle qui ferait n'importe quoi pour les empêcher de s'aimer. Elle et le loup. Son amour. Son chéri. Son imbécile-parfois. Son porteur-de-pénis plus souvent qu'autrement.

Les mots sont des couteaux. Un soupir. Deux. J'avale le remous.

Les mots m'ont transpercée. Mais me transperce davantage mon silence sous les mots. Mon absence de sursauts. Mon visage qui regarde filer les mots sans sourciller. Comme les vaches, les trains. Sans dire. C'est trop. Sans dire. Je n'ai jamais aimé les poissons-marteaux qui s'agitent dans les mots. Il faudrait que ma voix s'élève. Que ma voix s'impose et dise. Arrête. Ne parle plus. Je ne peux pas avaler ces mots que tu plonges dans mes oreilles et dans son dos. Je ne dis rien. Rien. Je m'*ensilence*. Je regarde l'arbre. Le saule pleureur. Et l'envie de pleurer monte dans mes souliers. Je souhaite devenir saule. Appeler à moi la pluie afin qu'elle me rince de l'amitié comme d'un vêtement souillé.

Et puis l'homme revient. Je prends le Cinzano. Le moitié-moitié. Avec dedans les glaçons que la femme s'empresse de compter. Tu en as mis un de trop, constate-t-elle. Tu en mets toujours un de trop, ajoute-t-elle. Qu'est-ce que tu cherches à faire ? À noyer l'autre moitié ? Elle s'amuse. Il tente toujours de noyer les moitiés. Dans l'amour aussi, crie-t-elle soudain. Jamais tu ne me noieras. Tu entends. Je ne suis pas ta moitié. Je suis ton entière. Si ta folle était ta moitié, ne va pas croire que je serai la tienne. Ou alors quitte-moi maintenant. Et. Oublions que. Nous. Nous. Aimons.

Les mots peuvent être si beaux. Si grands. Si pleins en dedans. Et si tranchants. Si acérés aussi. Je n'en puis plus des mots lancés comme des cailloux autour de mon cou. Je plonge à mon tour loin des mots. Je cherche mon homme. *Mon mien*. Celui qui n'entend pas ce que j'entends. Sourd et muet. Discret. Assis. Occupé à observer un fermier qui rentre des champs.

L'homme éclate de rire. Sur le jeu de mots. Sur les moitiés. Il rit jaune. Comme un tournesol qui croit que le soleil viendra demain. Je me retourne. Je le regarde jaunir dans le rire. Dans le soleil. Dans l'été qui s'est mis à trembler.

C'est lui qui a fait le souper, chante la femme. Une sauce à la viande. Bolognaise, *my dear. Isn't it so, my love* ? glisse-t-elle dans son cou en soufflant un baiser. *If you say so*, répond-t-il sans remuer. Il sourit en anglais autant qu'en français. En mettant la main sur le dessus de sa tête pour protéger le nid amoureusement crêpé.

Il est allé faire l'épicerie. Et. Il a tout acheté. Sauf les pâtes. Le rire de la femme est monté. Fort. Très fort. L'homme rougit. C'est l'automne en plein été.

Les lèvres de l'homme s'ouvrent. Le nid de cheveux aussi. Le vent soupire. Elle s'avance pour attaquer. Sa folle faisait les spaghetti sans pâtes. Il réplique. Elle mitraille. Je n'exagère jamais quand je parle de ta folle. Elle hurle. Il hulule. Fouetté dans les cheveux par les cris. Le toupet levé comme une toiture de garage ou un auvent au-dessus du visage. Des milliers de pigeons voyageurs pourraient dès cet instant s'engouffrer dans le nid.

Je tends la main pour empêcher le toupet de lever. Je frémis. Blêmis. Pâlis. Disparais. Il faut sauver l'homme. Préserver son nid. Tendre un filet. Le capturer. L'envelopper. Changer son identité. L'exiler dans un pays étranger.

Sans m'en rendre compte, je me suis éloignée. Je rejoins mon amour qui ouvre les bras. Qui parle avec joie de champs de blé. De souvenirs. De fermiers. Loin, loin dans sa tête et dans son cœur d'enfant. De tracteurs. De foin. Et d'été. Je me glisse dans sa joie qui me sert de bouclier contre les mots explosés.

Nous restons là. Elle nous rejoint. Elle parle des bonnes gens de la campagne. De leur amitié. Adorables gens. Qui l'adorent aussi. Comme elle adore. Le vrai beurre. Le fromage de chèvre. Les fines herbes, les semences et la terre.

Dans cette histoire, il se passe des choses étranges. Comme ce moment où l'homme disparaît jusqu'à ce que sa voix annonce que le souper est servi.

Nous nous retournons. Mon homme et moi. Le visage de l'homme calqué dans l'ombre de la

Exilé dans un pays étranger

moustiquaire. Le soleil couchant si puissant que je n'arrive pas à distinguer ses yeux. Sa moustache. Ses lèvres dessinées derrière le grillage moucheté. Les mots de l'homme dansent. Nos yeux caressent le grillage par lequel les mots murmurés glissent sans tomber.

Nous entrons dans l'odeur ancienne de sauce maison. L'homme a enroulé un tablier autour de sa taille. Il a mis la table. Elle inspecte les ustensiles. Les vérifie un à un. Couteau. Fourchette. Cuiller pour y enrouler les pâtes.

Je me promène dans la vaste pièce. Dans mon dos, j'entends. Ouvrir un tiroir. Déposer un couteau sur le comptoir. Mon homme a mis la patte sur un magazine. S'est lové dans la causeuse. S'est plongé dans un texte. Je me retourne. Lentement. Elle est perchée sur l'épaule de l'homme. Elle l'embrasse. Le cajole. Chuchote dans son oreille. Glisse un œil. Elle désire que je voie les câlins. J'essaie de sourire. Les muscles de mes lèvres sautent comme des bébés lièvres. Je détourne le regard vers la grande fenêtre. Je m'approche pour mieux voir la route principale. Dehors, la terre se soulève au passage des camions de service qui rentrent. La poussière valse. Brune dans le vent. Le soleil fond. Je sombre dans le Cinzano. En fait. J'avale le fond de couleur qui reste. Je recrache les glaçons soudés les uns aux autres. Les fais tinter dans mon verre. Je les fais basculer sur ma langue. Je les tète. Longuement. Les glaçons lèchent mon palais. Et retombent.

Elle s'est remise à parler. Du temps. De l'été. Des vacances. D'une secrétaire qu'elle va embaucher. De l'héritage gâché. De sa mère. De sa folle de mère. De son père. Pas le vrai. L'autre. Celui qui était comme le vrai.

Je ne m'y retrouve plus. Je suis engluée de mots. Il y en a beaucoup trop qui flottent. Mots-patates. Mots-carottes. Mots-cubes de viande. Il y en aurait eu encore plus si j'avais osé lancer dans le ragoût de mots un os-question. Trop de mots que je tente d'avaler et qui restent collés à ma peau. Sous ma langue. À remuer dans ma bouche. À vouloir se dire. À ne pas pouvoir sortir. À fondre. Dans mon ventre ronflant de silences.

Je ne sais pas si quelqu'un peut imaginer le danger que représentent les mots. Comme des mines posées sur des terres en souffrance. J'interroge à propos des vacances. Dans l'espoir qu'elle annoncera un voyage. Dans l'espoir, je l'avoue, qu'elle promette un départ au fond des bois. Je souhaite les voir tomber dans un précipice. Faire un accident de voiture ou mourir dans un ban de brume. Ce n'est pas leur mort que je veux, mais la mort des mots et leur repos.

Elle a lu dans mes pensées. Elle a démasqué les scénarios imaginés où enlacés pour l'éternité, elle et lui libèrent les mots dans un vent enivrant de lumière.

Elle répète le mot *vacances*. Elle le répète en haussant le ton, en ajoutant, tu as entendu ça, mon loup. Mon chéri. Mon amour. Les deux derniers mots bétonnés comme des Hells bardés de ciment aux pieds. Il ne répond pas. Il continue de brasser la bolognaise. D'ajouter des fines herbes. Il se déplace. Il s'affaire autour de la table. Il dépose au centre le parmesan. Il ne va pas répondre. Et elle le sait. L'imbécile ne répondra pas. Parce que l'imbécile ne veut pas dire que sa folle a tout fait pour qu'il hérite de ses trois bâtards pendant *nos* vacances, crache la femme. *Notre* seul temps *ensemble* dans l'année.

Dans cette histoire, il y a de bons mots et de mauvais mots à dire. Je n'ai pas dit le bon mot. *Vacances* n'était pas le bon mot. Je n'arrive à trouver aucun autre mot pour sauver les enfants de la bâtardise.

L'amitié est un lourd ragoût de boue. Me fait tomber, l'amitié, en bas de l'escalier. Me rend anémique. Faible. Anorexique. Amnésique. J'essaie de me concentrer. De réinventer un mot qui pourrait sauver tous les pots cassés par l'autre mot que j'ai prononcé.

C'est une histoire de mots de trop. Je m'exile loin des gens et des mots. Je cesse de chercher. Je garde les mots, comme des bêtes domestiquées dans un enclos protégé. Les mots ont défoncé mes souliers, fêlé mes côtes et creusé une fosse inanimée.

Finalement, l'homme dit à table tout le monde. Le mot *monde* me fait vaciller. Le monde n'est pas à table. Le monde est allé prendre l'air. S'envoyer en l'air. Est allé respirer le monde.

L'homme m'énerve. Dans la gêne et la tête sur le côté. J'ai une folle envie de le kidnapper, de le prendre par la main et de l'*enfuir* loin, très loin. Monte en moi une envie démesurée de le bercer, de l'endormir, de lui inventer une chanson, de lui montrer à écrire son nom.

Pas là. Ici. Elle est partout à la fois. Elle ne veut pas que je m'assoie là. Ou que mon homme soit à côté. On reste là. À branler sur nos jambes. À attendre de savoir où s'asseoir autour d'une table à quatre. C'est si compliqué de savoir où s'asseoir. Si difficile de trouver où. Je ne bouge plus. Elle me pousse derrière la table pour que je puisse voir la fenêtre qui donne sur la route principale. Pour le coucher de soleil que je n'ai jamais vu parce que je ne viens pas souvent. Et. Elle veut à tout prix que je voie le soleil se coucher. Je n'en peux plus. Le soleil me brûle tout à coup et elle, sous le mot *soleil*. Dans ma tête, je la pousse et la frappe. Je cours hors de la pièce. Je m'arrête au milieu de la grande route. Je la défie. Je regarde les camions droit dans les yeux et j'attends qu'ils viennent me frapper pendant que le soleil me regarde. Je m'imagine ensanglantée. À l'hôpital. Couchée sur une civière. Je n'entends plus que le son du sérum et le souffle de mon homme.

L'homme dépose les assiettes. Un filet de fumée s'esquisse. Des odeurs s'échappent. Libres. Nos yeux font des plongeons dans la sauce. Dans la couleur de la sauce. Belle. Uniforme. Les légumes sont hachés fins. Les pâtes en dessous, bien nichées. Mes mains se posent sur mes cuisses. Mon nez s'étire au-dessus de l'assiette. Je hume. Mon corps s'égare dans le parfum. Mon esprit tente de discerner les odeurs mariées. Là. L'ail se distingue. Les doux poivrons m'échappent.

Le silence réapparaît. Fragile. Si merveilleusement bon. Vingt, trente, quarante secondes. Un monde de silence et de temps fracturé par un grognement. Mon homme grogne. De plaisir. Sa main se tend. Sa main est en quête de pain. Mais la main de mon homme ne trouve pas le pain.

Le sourire de la femme fendille le temps. Elle a lu dans la main la quête de pain. Elle pose son coude sur la table. Appuie son menton. Tu cherches du pain ? questionne-t-elle. Tu sais que c'est mauvais, le pain avec les pâtes. Le mot *pain* suffit pour déchirer l'éternité. La main de mon homme est suspendue dans le discours transformé en cours détaillé sur les propriétés alimentaires du pain qui font que l'absorption naturelle de la nourriture dans le processus de digestion ne peut se faire quand on combine les mauvais éléments ensemble. Pain 101. Dialectique de fibres et de protéines.

Je devrais excuser mon homme pour le geste vers l'absence de pain. Il garde la main tendue. Elle n'arrête plus. Résume. Donne les références bibliographiques. Puis elle se lève et inscrit sur un bout de papier le titre d'un livre sur les combinaisons alimentaires. Elle me tend le papier. Mes doigts mous se referment dessus.

Et mon homme qui ose. Tu sais, moi, les combinaisons, chez nous, on portait ça l'hiver. Son homme rit. Il se lève. Sort quelques tranches de pain. Nous n'avons que du pain de blé, insiste-t-elle. Espérant, je le devine, que mon homme rebroussera chemin devant le blé. Mais mon homme blague. Tu sais, le pain blanc ou le pain blé, c'est une question de prononciation. Il joue des mots. Sur les mots. Et ça me fait rire. La blague est plate et facile. Mais ça me déchaîne. Me permet d'expirer un trop plein de soupirs. L'homme rit plus fort que nous. Il aime cette blague. Le nid de cheveux gigote. Tremblote. Décapote le front. Elle abdique. Et rit aussi. Du blanc. Du blé. Des mots qui viennent de piéger les couleurs et la mie.

Je relève la tête, quitte la sauce et l'assiette. Je vagabonde dans la pièce sans en avoir l'air, à la recherche de l'heure, du temps passé. Les horloges semblent avoir disparu. Le temps n'existe plus qu'au fond de la pièce, captif d'un petit cadran qui louche sur une table à café. Un tout petit tic-tac détraqué. Merde. Il me faudra attendre le café pour voir si l'heure convient pour annoncer que nous allons quitter. Dépêche-toi de manger, commande la sauce sous mon nez.

Elle lève la fourchette. C'est le signal. Mon homme n'a pas attendu. Il habite une autre planète. Uranus. Ou Vénus. Loin des *homo captivus*. Il mange et grogne. Mastique et soupire de plaisir. Mes oreilles haute-fidélité entendent *sound surround* le plaisir qu'a mon homme à manger. Il déchiquette le pain et savoure la mie. Il mange avec appétit. Aucun mot n'est venu le ternir. Enfoncer des clous dans sa mémoire de menhir. Il n'a pas vu les retenues de l'homme. N'a pas semblé entendre les claquements de langue et les insistances ténébreuses sur les mots. Mon amour est un bunker sans adresse qui scelle son cœur de tendresse. Moi, je suis une baie vitrée entièrement exposée aux intempéries de la vie. Mon cœur est une cour intérieure. Les vents et le soleil y font la pluie et le beau temps. Tous les oiseaux épouventés viennent contre mes vitres se fracasser.

Je glisse ma fourchette dans les pâtes. Je prends la cuiller. J'enroule les pâtes. J'en ai mis trop. Je libère la fourchette de son nid de pâtes. Je repique l'instrument sous deux pâtes. J'enroule. Soulève. Les pâtes fuient. Je recommence. Je m'amuse à regarder les cercles, à voir les pâtes s'enrouler. Se dérouler. Tomber dans la sauce. Mes yeux se posent sur l'assiette de mon homme. Il reste un spaghetti ou doit-on dire un spaghetto, puisque spaghetti est au pluriel ? Il reste un spaghetto dans l'assiette et beaucoup de viande autour. La main de mon homme se tend vers une seconde tranche de pain. Qu'il déchire. Il râcle le fond de son assiette avec le pain. La mie éponge le sang de la sauce. Les grains de viande s'accrochent. Je n'arrive plus à quitter le pain. Le sang. Que la main ramène vers les lèvres que j'ai hâte de retrouver.

Elle recommence à parler de la folle. Les épaules de l'homme retombent. Il hoche la tête. Elle savoure chaque mot et demande à l'homme de raconter l'ultime tentative de réconciliation qu'il a acceptée, tel un idiot, un imbécile qu'il est, de vivre avec la folle alors qu'*ils* étaient déjà séparés.

Je renonce aux pâtes. Le pain disparaît dans la bouche-gouffre de mon homme. N'entends-tu pas, j'ai envie de dire, les mots qui explosent comme des bombes au centre de la table ? Ses lèvres m'avalent dans le plaisir du dernier morceau de pain lourd de sauce-chagrin.

Je prie. Pour qu'elle ne l'oblige pas à raconter la fin de semaine. J'agrippe le couteau et coupe mes pâtes en petits morceaux. Elle le fait. Elle l'oblige à raconter le sous-sol de l'église. Le force à décrire chaque pétale de la rose cachée derrière son dos. Cette fin de semaine-là, il a été invité à écrire à la folle. Une lettre d'amour. Si ce n'est pas écœurant, elle se demande ce que c'est. Une lettre d'amour. Qu'elle exige qu'il récite pour nous. Il dit qu'il ne s'en souvient plus. Elle le traite de menteur. Il pique l'assiette. Elle pique la fourchette dans sa direction. Mots-couteaux. Mots-tombeaux. Les mots sont sanguinolents. Blessés. Démembrés. Amputés. Imbécile. Cave. Sans dessein. Porteur-de-pénis. Sans-génie. Lâche. Petit. Petit. Petit.

Comment arriver à oublier les mots plantés dans les os ? Impossible de fermer les yeux sur les morceaux de peau décousus par les mots. Je m'estompe. Et remonte. Je fais semblant de mastiquer et d'avaler. Mais ce sont les mots que j'avale. Les mots à genoux de la lettre d'amour. Les mots humiliés tour à tour. Les mots billes de poison. Féroces lions. Cher amour. Comme des animaux sauvages. Matés. Tués. Dépouillés de leur peau. Victimes de taxidermie, les mots. De trop.

Je me lève pour aller chercher de l'eau. Je sais. Je dis. Je sais que ce n'est pas bon de boire en mangeant. Digestion 101. Mais j'ai soif. Je boude le vin sur la table. Le vin rouge de honte. J'ignore le vin. Pour ne pas noyer les mots. J'ai peur que ma langue ne se délie dans la lie. Qu'elle s'avine et ne se mette à cracher des morceaux de vitre et de peau.

De l'autre côté de la table. De l'autre côté du monde, mon homme est une statue de glaise. Le silence lui va comme un grand. Silence d'homme. Silence d'orme en plein vent. D'orme debout sur le bout d'une falaise. C'était bon, finit par dire mon homme. Cherche-t-il à faire dévier les mots dans un autre ruisseau ? J'ajoute alors, c'est encore bon. Moi, je n'ai pas fini. Elle a attrapé le mot *fini* et dit finis l'histoire et raconte comment tu as trahi mon amour de toi cette fin de semaine-là.

L'homme va peut-être se fâcher. Crier. Ou pleurer. Ou alors, expirer sous nos yeux. Il descend tête baissée dans le donjon des mots. Mot à mot. Il raconte. Dans toutes les syllabes imaginables. Il confesse. *In nomine patris et filii et spiritus sancti*. Je commence à compter. Un. Deux. Trois. Jusqu'au bout du récit. Pour voir jusqu'à quel chiffre je peux me rendre dans le désastre des mots qui tombent dans la sauce. Il finit par finir. *Amen*. J'ai compté jusqu'à deux cent trente et un.

Les yeux de mon homme se sont détournés. Ses yeux à elle cherchent un puits. Je baisse les yeux comme deux bras de poupée. Je dépose les ustensiles. Repose mes mains sur mes cuisses. Elle se lève. Tout ça, c'est du passé. Je l'aime. Il m'aime. On s'aime. Nous nous aimons. Elle conjugue le verbe à tous les temps et, dans le même élan, elle offre le café. Pas trop fort. À cette heure. Je saute à deux pieds sur le mot *heure*. Je dis au fait, il est quelle heure ? Pas déjà. Si tard. Tant que ça. Trop tard pour le café. Mon homme doit se lever tôt. Mon homme me regarde. Il laisse se perdre les bouts de mots comme des fils cassés. Ne voit pas les mots accrochés au plafond comme des pendus. Il dit c'est vrai. Il ment. Pour moi. Sans savoir pourquoi. Il sombre dans le mensonge émouvant.

Nous nous levons. Elle se met à danser. Elle se colle à son homme. Ils tanguent. Elle fredonne le mot *musique*. Chantonne le mot *regret* parce que nous

Le nid d'hirondelles

n'aurons pas le temps d'entendre l'homme jouer du piano. Il joue sur les notes comme sur les mots. Il joue comme un dieu même si le plus souvent il est à moitié humain, murmure-t-elle.

Nous descendons les marches. Nous nous retrouvons dehors dans la douceur de l'été. Ils se tiennent par la taille. Leurs mains signent des au revoir. Elle lève les yeux. Il se retourne et plonge les siens dans l'amour d'elle. Le nid de cheveux ouvre son antre.

Et c'est ici que l'histoire épouse les beautés du monde.

Des milliers d'hirondelles s'échappent du nid. Hors de lui. Emportées par des mots mystérieux. Des mots d'amour entourés de vautours. Des mots d'espoir dans le ciel. S'envolent et forment des arcs-en-ciel. Ondoient de plumes au vent. Se séparent et se refrôlent. Des mots d'oiseaux s'écrivent dans toutes les langues. S'effilochent et langent un homme et une femme dans un cocon flou. Un arbre énorme tente de prendre naissance. Il recrache son feuillage comme brins de pluie. Tout cela pourrait se mettre à parler. À murmurer. À chatouiller la face du monde. C'est un saule. Un saule qui, je le sais, n'arrivera plus à cesser de pleurer.

SI PARLA ITALIANO

Toutes les sauces sont italiennes. La mienne est aussi italienne que la tienne. Je ris en le disant, en taquinant. Je peux t'aider, je dis. Non. Non. Non. C'est ma promesse. C'est ma sauce. C'est moi qui la ferai, insiste Jean. Je serre sur mes genoux le petit sac de fines herbes et d'épices italiennes. Tu es sûr qu'ils auront tout acheté. Oui, oui. Il ralentit la voiture. S'arrête presque. Le cœur cogne en moi. Entrez, que je m'entends dire à mon cœur. La voiture s'élance vers le haut. Puis vers le bas. Une toute petite pente qui de l'autre côté nous offre le monde entier sous le nez. C'est beau, je dis, assise sans bouger. À sentir, bien sûr, que le temps est écoulé. Que nous sommes arrivés. Que nous sortirons de la voiture.

Jean est déjà dehors. J'ouvre la portière. Je reste derrière. Ma tête valse vers la cime des arbres. Si hauts. Si grands. Si géants. Nous voici au pays des Géants. De l'Ogresse et des Ogres. Il y aura peut-être des nains avec qui je pourrai fraterniser. Les bras d'une femme et les mains d'un homme se tendent vers Jean. Appelons la femme la méchante Reine. Elle embrasse Jean. Je sais que c'est elle parce que j'ai vu une photo. Je la reconnais. Même sans la rose qu'elle tenait entre ses doigts sur la photo. Elle et Jean ont été amants. Amoureux d'été. C'était avant moi.

Appelons l'homme qui est à ses côtés, le roi Arthur. Il serre la main de Jean. Il a l'air calme pour un homme trompé. Il me regarde. Me sourit et vient m'embrasser. Peut-être ne sait-il pas que la Reine a fait l'amour et l'amante avec mon Gulliver de plusieurs années. Je me laisse serrer par la chaleur des épaules d'Arthur. Il a l'air gentil et plein d'attentions. Il a un beau rire. Peut-être n'arrive-t-il plus à avoir d'érection. Je divague. Je suis gênée d'avoir eu cette pensée. Je me détache de la vague.

L'air est tendre comme un poupon d'été. Ça sent le petit bébé. La Reine m'enlace. Nous nous rencontrons pour la première fois. Sait-elle que je sais que mon amour et elle se sont aimés sous une tente, dans un sous-bois, dans le lit aussi, parfois. Jean m'a tout raconté. J'aime sentir que je suis une fée porteuse de cette vérité.

Nous marchons tous. La Reine tend la main vers Jean. Qui laisse sa main glisser dans celle, toute bronzée, de la Reine retrouvée. Je serre mes mains sur les épices italiennes. Je froisse le sac entre mes doigts. Je relâche un peu. Nous n'avons fait que quelques pas que déjà la fille d'Arthur et de la Reine, torse nu, seins à la volée, court nous rejoindre. Jean ! crie la fille. Jean ! crient les seins de la fille. Que. Je. Suis. Contente de. Te. Revoir.

Jean ne m'a jamais parlé de la fille. Ni de ses seins. Ni de sa peau cuivrée. Ni de ses cheveux enivrés de soleil d'été. Elle l'embrasse. Ses seins se frottent au cœur de Jean comme des bébés chiens qui cherchent la chaleur. Arthur et la Reine sourient. Ils racontent que la princesse revient d'une longue croisière en Grèce. Il faut à tout prix qu'elle raconte le voyage. La mer. L'océan. Les vagues. Le soleil. La chaleur. Les grands murmures de sable blanc. J'ai le corps en cale sèche. Je traîne un peu derrière. A-t-il également couché avec elle ? Je me sens sorcière. Boiteuse. À cloche-pied sur un balai édenté. La princesse ne m'a pas dit bonjour. Elle entraîne Jean sur un autre continent. Arthur se retourne et m'enserre le poignet. Il me hale comme on hale un chaland sur la grève. Il emprisonne mon poignet et me tire de toutes ses forces vers l'arrière-cour peuplée d'étrangers. Je rapetisse. Ça y est, je suis devenue naine. Et s'il fallait que je me noie dans la sauce italienne ? Qui viendrait me sauver ?

Un homme nu sur le bord de la piscine nous fait signe. Il plonge. L'eau frétille. Quelqu'un lance un ballon. L'homme nu devient phoque et tente de faire sauter le ballon sur son nez. Ça rit. Ça applaudit. Les épices italiennes murmurent dans le sac. *Si parla italiano.*

Appelons cet endroit la forêt enchantée.

Arthur m'offre à boire. Jean, la Reine et sa fille traversent la Grèce, les îles. Leurs bateaux dérivent. Arthur est si gentil. Il me présente à la cour. Les comtes et les comtesses, les ducs et les duchesses. Deux ambassadeurs de France qui s'extasient sur les multiples formes de nombrils. Je serre des mains. On dit « Oh ! » On fait « Ah ! » On dit « Oui ! » « Vraiment ? » On cherche un peu. « Vous êtes ? Vous n'êtes pas ? Seriez-vous ? Non, non, je ne suis pas. » Les conversations reprennent. Plus longues. Plus enjouées. J'en profite pour m'éloigner. Il n'y a personne vers qui aller. Sauf Jean que je ne peux rejoindre maintenant pour ne pas avoir l'air de le surveiller. Ou de le poursuivre. Ou de m'agripper.

Les fleurs sont magnifiques. Les chaises de parterre, antiques. Les boiseries de la maison, charmantes et enveloppantes. Les branches des arbres s'agitent. L'homme nu plonge à nouveau. Les gens s'esclaffent et crient des obscénités. Je cherche des yeux un suisse disparu. Un gros chat saute sur une chaise de parterre. Un autre descend les marches du perron. L'homme nu sort de l'eau. La fille valse à son cou. Elle frotte ses bébés chiens contre la peau mouillée du bel étranger. Ils se mettent à danser une samba. Elle crie papa, apporte-nous une sambuca. Leurs bras se déploient. La Reine a augmenté le volume de la radio. La musique roule sur le gazon. Arthur disparaît dans la maison. Les seins gigotent. En haut. En bas. De côté. La fille penche la tête vers l'arrière. L'homme nu est son homme. Son prince. Son chevalier. Dans mon dos, quelqu'un murmure vous allez vous baigner ? Je sursaute. Ses yeux me regardent nue. Je fonds sur le gazon. Mes vêtements volent au vent. Une bosse pousse dans mon dos. Ses yeux lèchent mon corps. Où sont mes vêtements ? Dans une citrouille avec, dedans, mon soulier de vair et mon air de Cudrillon[1] ? Je dis non. Je mens. Je dis que je n'aime pas l'eau. Mes yeux plongent dans mon verre. *Bungee* du regard dans l'eau plate. J'aperçois mes doigts froissés sur le sac. J'ouvre le sac. Les épices italiennes sont toujours captives, mais sereines.

Jean a disparu. La musique tonne comme une tonne de briques. Le Big Bazar bazarde. Les étrangers

---

1. Nom du personnage principal utilisé dans l'histoire originale avant que le puritanisme ne le transforme en Cendrillon.

musardent. Où s'est la fille éclipsée ? Je dérape. Et si la Reine était Madame Claude. Et Arthur, son pimp. Et si tous ces bronzés étaient des clients humant la chair fraîche à plein nez ? Ça sent la traite des blanches. Le film policier. Les disparitions. Le crime organisé. Et si on songeait à me kidnapper ?

Appelons cet instant celui du téléroman.

Arthur me tend un autre verre. Je dépose le vide et prends le plein. Les glaçons grelottent. Il a un si beau sourire. Je bois. Y a-t-il dans cette boisson quelque philtre maléfique, quelque drogue pour bouledogue ou quelque somnifère d'enfer ? Ça galope derrière mon front. Le désir de sommeil me traverse comme un pont. Me voici à l'orée du Bois dormant. Piquée au doigt, une quenouille à mes pieds. Où est la grenouille changée en prince qui viendra m'embrasser ?

Je vais entrer dans la maison et retrouver Jean qui cuisine dans la cuisine. Je vais lui tendre les épices en disant *si parla italiano*.

Je lève le sac d'épices et Arthur me guide jusqu'à l'entrée de la maison. Son bras, ses doigts disent. L'entrée. La salle à manger. Au fond, la cuisine. Je monte les marches. Tout est si bien décoré. Dans les petites choses. Les dentelles. Les imprimés. Le rotin sur la véranda. Les livres d'art délaissés. J'entre dans la salle à manger. Les affiches. Les dessins au mur. Les murs comme des façades blanches granuleuses, légèrement bleutées. Les boiseries, les planchers francs, un bahut ancien. J'aime. Le lieu. Les livres ouverts. Fermés. Qui respirent dans la pièce.

Des rires dans la cuisine. Ceux de la fille tombent sur ma banquise. Je vois à peine ses cheveux à lui derrière son épaule à elle. Elle frotte ses bébés chiens dans le dos de Jean. Frotte. Frotte. Frotte. Et rit. Comme une loutre mouillée. Et vogue la galère. Propulsée à des millions et des millions d'années-lumière. Je suis prisonnière d'une tour. J'attends d'être délivrée pour fuir dans une forêt de pins cendrés. Mais Jean ne se retourne pas. Il reste là. Il ne sait pas que je suis emmurée et que je pourrais être sacrifiée. Punie. Écartelée. Suspendue sous un soleil trop chaud. Enchaînée dans une cage de fer forgé. Un cœur saigne. Un corps s'achève. Des bébés chiens glapissent. J'entends leurs plaintes. Je devine leur petite gueule ouverte. Je sens leur besoin démesuré de téter.

Appelons ce moment l'instant de la sauce empoisonnée.

Je tombe. Comme marguerite effeuillée. M'aime. Un peu. Beaucoup. Passionnément. Pas du tout. Mon cœur de marguerite reste debout à faner dans la salle à manger. Je ne peux plus marcher. Je suis une fillette chinoise aux pieds enrubannés, étranglés, aux orteils atrophiés.

J'avance. Si peu. Oh. Un tout petit peu. La fille chante *C'est beau la vie*. Je m'arrête entre les deux pièces, entre deux chaises. Je lève le sac d'épices. Et je m'entends dire tu avais oublié les épices. La fille se détache. Comme un continent de glace. Ses empreintes mouillées laissent d'énormes lacs sur le plancher.

Elle dépose un baiser sur l'épaule de Jean. Vole une branche de céleri. S'éloigne. Et sort. Par la porte de côté. Jean marche sur les eaux. Il a l'air occupé. Elle est venue m'aider, dit-il sans s'étrangler. Je dépose le petit sac sur le comptoir. Il se penche et m'embrasse. Je nous aime. Dans les baisers prolongés. Dans l'odeur des tomates. De l'ail. À côté des carottes, du céleri et des poivrons émincés. Pas déjà fini le baiser que j'aurais voulu faire durer au moins deux éternités. Tu veux que je t'aide ? J'espère qu'il va dire oui. Oui. Oui. Mais il secoue la tête.

Je traîne un peu les pieds. Je regarde autour. Il lance quelques mots. Je suis trop loin. Je le quitte. Je le déserte sur mon île. Je m'apprête à sortir. Mais avant, un magazine me fait de l'œil. Je me réfugie dans les marches du côté de la maison. Sur ces marches où les traces mouillées des pas de la fille sont en train de s'effacer. J'ouvre le magazine. Au loin, les voix, toutes les voix, s'épousent et divorcent dans les rires et les éclats. J'essaie de lire un article sur la beauté. D'apprendre les recettes miracles. Les femmes sur ces photos sont des lunes d'avril, des astres. Des prêtresses. Je m'envole à grandes brassées, longue, lisse et belle. Je plonge dans un bain de boue. Je secoue deux mètres de chevelure blonde éternellement vaguée. J'incline la tête. Mes vêtements ne sont plus que longs voiles blancs. Tulles vaporeux soulevés par le vent. Je sursaute.

Arthur est assis à mes côtés. Il pose sa main sur ma cuisse. Je me transforme en statue de sel. Je n'ai même pas tenté de m'échapper. Nous ne sommes plus l'été. Ni la campagne adorée. Nous sommes l'Antiquité et me voici statufiée sur une marche d'escalier. Sa main insiste. Je n'ose le regarder.

Et puis son fils est devant moi. Il a dix-sept ans. Il est beau comme un dieu grec. Arthur dit voici mon fils. Le fils se penche. Il me baise la main. Ses doigts tendres d'enfant, de garçon, de jeune titan rompent l'enchantement. Me voici libérée d'un long sommeil de plusieurs centaines d'années. Il m'entraîne dans la maison. Nous ondulons de jeunesse et de tendresse. Il descend au sous-sol. Je le suis. Et si. Lui aussi ? Je me secoue les puces. Il est à peine sorti du giron de Walt Disney. Nous entrons dans sa chambre. Son lieu. Sa musique. Ses disques. Et ses photos. Il a du talent. Arthur le crie dans mon dos. Montre-lui tes photos. Arthur s'appuie contre le chambranle de la porte. Je m'assois sur le lit. Le fils aussi. Arthur ferme la porte. Une seconde. Une fraction de seconde. La porte fermée m'inquiète. M'a inquiétée.

Où sont les 101 dalmatiens ? Belle et Mickey ? Pas d'ogre. Ou de loup affamé. Je balance mes pieds. Petit pot de beurre, quand te dépetit pot de beurreriseras-tu ? Des comptines montent en moi. Sautillent dans ma tête. Légères. Un, deux, trois, nous irons au bois. Je redeviens fillette et je m'exile dans la magie des mots en folie. Je resterais là des heures durant. J'espère que la sauce prendra tout son temps. Le fils se frotte le ventre. Il dit c'est ma première fois. J'espère qu'il parle de la sauce.

C'est une vieille recette que Jean tient de sa mère qui la tient, elle, d'une vieille immigrée italienne. Je crois qu'elle était venue à la maison et qu'elle avait cuisiné tout l'après-midi. Elle avait aussi fait les pâtes. Cette sauce est extraordinaire. Je mens. Je viens de dire que la sauce est extraordinaire. Et. Je. Me. Rends compte que jamais je ne l'ai goûtée. Jean en a souvent parlé. Mais jamais. Non. Vraiment. Jamais. Il n'en a fait pour moi. Je ne le dis pas. Pour qu'il ne croie pas que je parle de choses que je ne connais pas.

Appelons ce moment l'instant de vérité.

La porte s'ouvre. La Reine dit ça va, les jeunes ? Elle parle de nous. Je suis moi aussi *les jeunes*. J'espère qu'elle ne croit pas que j'ai débauché son fils. Que je l'ai dépucelé sur son lit. J'espère qu'elle regarde comme il faut et qu'elle voit qu'il n'y a rien à voir. À découvrir. Ou à soupçonner.

Je dis, vite je dis, les photos sont belles. Il a du talent. Ce n'est pas son seul talent, répond la Reine dans un sourire énigmatique. Elle m'a envoûtée. Nous avons hâte de goûter cette fameuse sauce italienne, reprend la Reine. Tiens, elle a un léger accent. Français usé ou belge chocolaté. Elle dit vous venez ? On sert les apéros et les petits fours.

Je me lève. Le fils aussi. Je monte à l'étage. Je jette un coup d'œil du côté de la cuisine. Pas de Jean. La sauce mijote à gros coups de blop ! blop ! Seule. Comme une grande.

Je me retourne. Le fils retient la porte. Nous voici devenus Guenièvre et Lancelot. Dehors, la cour au grand complet tape des mains. De grands rires de baleines. Des cris de dauphins. Arthur enlace la Reine. Ça me fait du bien. L'homme nu s'est transformé au centre de l'arène en Manneken-Pis. Il n'urine pas. Il fait semblant. Tout le monde s'amuse. Sauf Jean qui affiche un air shakespearien d'homme noble sur la passerelle de son propre château. La fille joue de la jupe longue et des sandales de plage. Elle barbote. Elle bouge les bras. Danseuse hawaïenne. Monte sur une chaise. Devient sirène. Elle serine les voyages d'Ulysse. Le gazon ivre est un bateau rempli de grives. Je suis Ulysse et je m'attache au mât. Au bras de Jean que je viens de rejoindre.

Appelons cet instant celui de la nécessité.

Les petits fours circulent dans les plats qu'attrape et offre la princesse qui a cessé de chanter. Je refuse poliment. Je feins ne pas avoir faim. J'ai faim de Jean. De lui. De nous. De ses baisers. De ma vie dans sa nuit. De l'Italie. De parler italien. Du vin. D'un nid de pâtes dans lequel nous serions couchés. D'un lit nappé de sauce. De la tour de Pise penchée sur nous. Du Vatican et d'un homme en blanc. Des Italiens sensuels et odorants.

L'homme nu a enfilé un pantalon. Puis une chemise. Ça crie encore. Ça applaudit. Le fils reste là à. Me. Regarder. Je baisse les yeux. Quelques personnes se sont mises à danser. Le temps valse. S'assombrit. Le ciel change. S'*engrise*. La fille s'est collée au Menneken-Pis qui achève de se rhabiller. Elle le raccompagne et scelle ce départ d'un *French*-baiser, de bras enlacés, de bébés chiens calmés. Peut-être partira-t-elle aussi. Avec lui. Pour l'aimer loin d'ici ?

Elle revient. Il est parti travailler. Il reviendra tard cette nuit. C'est elle qui le dit à la Reine et à Arthur. Il reviendra se coucher dans son lit, disent les yeux d'Arthur et de la Reine. Et il nous réveillera dans la nuit, crient les bébés chiens que j'avais oubliés. La fille frissonne et court se vêtir. Enfin.

Nous nous déplaçons vers le château. Je n'arrive plus à comprendre qui reste et qui part. Il reste les ambassadeurs de France, Arthur, la Reine, le fils, la fille, Jean et moi. Jean m'a quittée. Pour la cuisine. Rapidement. Vérifier la sauce. Parce que la fille a crié ça va coller !

Nous voici assis dans la salle à manger. Les apéros sont revenus se poser devant nous. Jean est dans la cuisine. Dans mon dos, j'entends la fille. Elle aussi est dans la cuisine. La Reine est assise. Elle est belle. Je sais qu'elle sait que je sais, que Jean et elle ont couché ensemble. Elle cherche à me lire pour vérifier si. Je sais.

Elle le fait. Je garde les yeux fixes. Sans broncher. Je suis une image vague. Une nuit de Sisley, un ban de brume, de soleil, de nuit, de nuage, de pluie. Les couleurs tombent. Mon image s'aiguise. Je suis abstraite, nette et découpée. Une demoiselle d'Avignon debout sur un champignon. Elle peut m'interpréter dans tous les sens. Mon visage blanc sous la palette de Borduas pourrait dire je sais. Mon visage blanc sous la palette de Lemieux ou de Gingras pourrait dire je ne sais pas. Comme je n'ai pas l'air de m'inquiéter. Je sais qu'elle opte pour je sais.

Le fils s'assoit à ma gauche. Les ambassadeurs à chaque bout de la table. Il reste trois chaises. Deux à gauche de la Reine. Une à ma droite.

Les ambassadeurs n'en reviennent pas de l'odeur de la sauce qui leur rappelle celle que faisait leur vieille nounou d'Italie. Une nounou qui faisait tout. Les pâtes comme la sauce. Je sens que Jean sera content.

La Reine n'arrête plus de me regarder. Elle lève le ton. Et parle du stage où elle et Jean ont collaboré durant tout un été. Ça fait beaucoup de nuits, un été. Beaucoup de sentiers. De boisés. De roses à caresser. De baisers. De tendresse. Je n'arrive plus à me souvenir si Jean m'a dit combien de fois ils se sont aimés. Dans les bois. Sous la tente. Dans le lit. Je ne lui

Un instant d'égarement

ai pas demandé. Elle laisse planer tous les doutes. Pimente bien sûr les anecdotes de travail. Les longues journées. Les stagiaires énervés. Raconte. Raconte. Tout. Tout. Tout. Sauf les baisers. L'amour. Et les mots doux. Elle aimait qu'il l'appelle mon lapin et elle adorait l'appeler mon coco d'osier. C'était l'amour fou partout, même au-dessus des rosiers où leur image sur la photo a été croquée pour l'éternité.

Arthur s'assoit à côté de moi. Jean devra s'asseoir de l'autre côté de la table. Me voilà à l'étroit. Le fils et Arthur deviennent mes deux murs. Mes forteresses. Mes châteaux et mes chevaliers. La Reine m'adresse un sourire dix-neuvième siècle. Ça sent le piège à loup. Les vautours ? Serai-je jetée en pâture ? Aux crocodiles ? Ou croquée par les ambassadeurs devenus débiles ?

Appelons ce moment l'instant d'égarement.

La fille distribue les assiettes de pâtes. Jean arrive derrière avec la pleine casserole de sauce qu'il dépose au centre de la table. La Reine verse les louchées de sauce. Des mains se tendent vers les tranches de baguette française. Le beurre un peu mou s'étend sur les mies comme sur de petits ventres blancs. Je fais tout plus lentement. Je me filme au ralenti. Plan américain de Jean. Plan rapproché des deux chaises vacantes.

Plan d'ensemble. La Reine, les deux chaises et la fille. Action. La fille prend la place de droite. Jean s'assoit au centre. Le voilà coincé entre la fille et la Reine. En face de moi. Et moi de plus en plus tassée entre le fils et Arthur. Et si je me mettais à crier. Coupez !

Arthur pousse sa cuisse et son genou contre ma cuisse et mon genou. Et parce qu'un malheur ne vient jamais seul, les doigts du fils s'élancent tels des lassos. Je n'arrive plus à penser. Ma tête s'allège. Je deviens un dirigeable. Un Hindenberg géant qui s'élève au-dessus de la table, qui s'envole dans le ciel. Qui transporte des dizaines de passagers dans son ventre. Dans l'air. Survolant la Terre.

Appelons ce moment l'instant d'élévation.

D'en haut, les pâtes deviennent des racines de bambou et la sauce, un vaste marais de boue ou de sables mouvants. Les mains, les doigts, les corps plus bas, s'endorment. Ils ont tous mangé une pomme empoisonnée. Hi ! hi ! hi ! La sorcière est passée. Nous reviendrons plus tard. Dans des millions d'années, récupérer vos cadavres fossilisés.

Les genoux du fils et ceux d'Arthur enserrent les miens. Plus serrés. Plus fermés. Petites mâchoires. Je serre tant que je peux. Et puis non. Je relâche. Qu'ils touchent ce qu'ils veulent. En dessous de la table. Qu'ils poussent, qu'ils serrent. Qu'ils glissent leur main libre sous la nappe. Qu'ils caressent. Je relâche les genoux. Les ouvre même. J'attends les mains. Celle du fils qui s'attarde sur mon genou. Il caresse la peau. Mes yeux soutiennent tous les regards. Ma bouche sourit. Mes mots, comme des oiseaux rares, *flacotent* de l'aile. Les mains. Père-fils, les mains. Arthur-fils, les mains. Ne savent pas. Ne sauront peut-être jamais qu'elles ont, les mains, en même temps cherché le même secret.

Mes lèvres s'entrouvrent sur le vin. Se collent aux parois de la coupe. Les ambassadeurs sont soûls. Elle cocoricocotte. Il fait Pit ! pit ! pit ! La Reine a entrelacé ses doigts à ceux de la main libre d'Arthur. Arthur est son roi. Elle est sa Reine. Les yeux d'Arthur sont des médailles d'honneur. Ses yeux de Reine sont des camés de tendresse. La fille fredonne un air d'opéra. Jean fait les basses. Les poum-poum. Les cymbales. Les triangles et les sanglots de violon. Le fils ne dit mot. Ne regarde rien. Ni personne. Ses yeux sont fixés sur la nappe. Son front est blanc d'audace. Sous la table, ses doigts frémissants dessinent des papillons sur ma peau. De sa main libre, il porte une coupe de vin à ses lèvres.

Je ferme les yeux un moment. Les mains baladeuses sont à fleur de ma peau. Celle d'Arthur voyage très haut près de la cuisse. Celle du fils hésite comme un baiser volé. Mes cuisses ne se désistent pas. Mon cou se tend. Je suis une terre d'exil, une île d'où les mains, en quête de trésor se retirent.

Le fils met de la musique. Arthur me prend le poignet. Je regarde sa main sur mon poignet. C'est *la* main. La main qui voyageait sous la nappe. Je me lève, résiste un peu et relâche à nouveau. Danser. Un peu. Pourquoi pas. Au lieu. De sécher. Comme peau sans âme.

Les ambassadeurs claquent des mains. L'odeur des tomates est partout. Dans la pièce. Dans le cou d'Arthur. Sur ses lèvres. Au bout de mes pieds. Nous dansons. Dansons. Sans rien d'autre que le rythme entre nous. Sans rien d'autre que nos rires fous. Nous dansons sans qu'il n'essaie de glisser ses mains où que ce soit. Nous dansons librement. Loin du vent qui se lève. Des assiettes désertes. De la nuit qui avale peu à peu nos ombres au plafond.

Nous quitterons. Tôt ou tard. Au petit matin. Les lèvres scellées. Des secrets plein les doigts. L'odeur humide des herbes sous nos bras. Des fougères dans nos cous. Le son des feuillages frôlés sur nos joues. Il y aura des routes et des routes de fatigue. Des yeux et des yeux fermés pour moi. Des kilomètres d'yeux rivés sur la route pour Jean.

Nous compterons jusqu'à trois. Et je saurai, même dans un million d'années, que Barbe-Bleue ne m'a pas étranglée.

J'habite une île où des mains sont venues quêter asile. Une terre étrangère où je traverse sans cesse les merveilles et les miroirs. Mon nom est Alice. Dans mon pays, je suis roi et reine. Et. Si, si, si. Parlo italiano.

Appelons ce moment le sourire de Mona Lisa.

POURQUOI DES COUTEAUX
ENTRE NOUS ?

La porte ! Il a dit la porte ! A crié des obscénités. S'est mis à hurler. À bégayer. M'a poussée. Dehors. Sur le palier. Du haut de l'escalier. Loin de la porte. De ma porte. De notre amour. Comme un passé trop lourd.

Je ne bouge pas. Je reste debout. Devant la petite allée de ciment blanc. La porte s'ouvre dans mon dos. Une pluie de vêtements tombe sur moi. À mes pieds. Devant. Sous mes yeux. Des bas accrochés à mon bras. Des soutiens-gorge dans mon cou. Des jupes. Des ceintures. Des slips. Des jupons en voltige autour comme carcasses de vautours. La porte se referme. S'ouvre encore. Une valise. La plus vieille. La plus brisée. Culbute dans l'escalier. Tombe. La tête la première à mes pieds. Ouvre la gueule. Je tourne la tête.

Il faut mettre les vêtements tombés dans la valise. Il faut. Faire la valise. La refermer. Je ne sais pas où ça commence. Ou ça finit, les valises qui tombent à mes pieds. Je m'assois. Au milieu du désastre de ma vie.

La porte s'est refermée. Les cris continuent de fracasser mon corps du dedans.

Je tends les mains vers les bas, les jupes, les jupons, les ceintures. Les robes froissées que je m'étonne de ne plus porter. Je mets les choses dans la valise. Sans me presser. Sans regarder. La maison. Ou la porte fermée. Ou les voisins qui ont levé la tête dans la tempête. Et ont retourné les yeux vers le potager ou l'entrée gazonnée. Je n'arrive pas à comprendre ce que je fais là. Par terre. Sur le ciment blanc.

As-tu oublié mon grand lion échevelé notre amour sur le plancher ? As-tu oublié les poissons exotiques dans les aquariums tamisés ? La lumière dans l'eau et les reflets multipliés de l'eau sur nous ? Sur le plancher. Sur nos corps comme des algues effleurées ? As-tu oublié la lumière de l'arrière-boutique que tu avais éteinte ? Avant l'étreinte. Le son sourd des filtreurs d'eau, la magie des couleurs des poissons et de l'eau dans les aquariums tout autour ? As-tu oublié mon nom que tu n'arrêtais plus de crier ? Mon corps que tu n'arrêtais plus de caresser ? As-tu déjà ? Oublié ? Que nous nous sommes aimés ?

J'ai tout replié. Les bas. Les jupes. Les blouses. Les jupons. Les ceintures. Les slips. Les soutiens-gorge. Les robes. Ai rangé chaque pièce de vêtement avec un souvenir dedans. Il me faut refermer la valise. Me lever et quitter le ciment blanc. Les fleurs que j'aime. Le balcon que je n'ai pas fini de repeindre. La porte refermée. La maison. Ma maison. La maison qui porte ton nom. Que je t'ai donnée pour marquer mon amour de toi. De nous. Dans les premières années.

Je ferme la valise. Me lève. Je remonte l'allée. Je suis en train de nous quitter. De nous tourner le dos. De ne plus jamais nous revoir. À cause de la colère. De la vaisselle que j'ai refusée de faire. De tes cris sous mon nez relevé. De la boîte blanche que tu as fait glisser à mes pieds. Que j'ai ramassée. Que j'ai ouverte. Des couteaux que j'y ai trouvés. Du *bonne fête* que tu as lancé au moment où mes yeux noyés de larmes se posaient sur les couteaux.

Où est le parfum que j'attendais ? Les mots d'amour dans la carte désirée ? Où est le gâteau que tu n'as jamais fait ? Ou acheté ? Où sont les bougies que je n'ai pas soufflées ? Pourquoi les couteaux entre nous ? Les couteaux donnés en cadeau ? Pourquoi n'y a-t-il plus entre nous autre chose qu'un *set* de couteaux rangés dans un écrin plastifié ? Et ton sourire debout, devant les couteaux déballés ? Et l'horreur et les questions sur mon front qui déteste les couteaux.

J'ai dit tu n'es pas peureux. De me donner ainsi des couteaux dans la guerre que nous nous livrons depuis quelques années. J'ai dit pour rire. Pour te faire rire. Pour faire s'envoler comme des oiseaux dans les prés les mots lancés comme des cailloux de toi à moi, de moi à toi, dans la vie petite et tendue des dernières années. Tu n'as pas ri de cette remarque sur les couteaux. Tu as parlé des steaks que tu pourras enfin couper. Et gueulé contre mes vieux couteaux trop usés. Comme moi. Sans dents. Comme moi. De moins en moins tranchants. Dans notre vie qui manque de piquant.

J'ai pensé. Me les offres-tu, ces couteaux, pour me tuer après m'avoir désertée dans les baisers ? Mais je n'ai pas demandé. J'ai dit c'est ma fête. Bonne fête. J'ai dit c'est ma fête et je mérite d'être fêtée. Tu as crié. Tu ne mérites rien. J'ai gardé ma tête levée de fillette étranglée. Tu as dit fais la vaisselle et fais le souper. J'ai foncé. J'ai osé. J'ai dit non. Je ne ferai plus jamais la vaisselle dans cette maison. Tu as hurlé. Commandé. Hurlé encore. Menacé. Ton bras s'est levé. Tes mains m'ont encagée. Ta force de lion m'a soulevée. Ta colère m'a jetée hors de chez nous. De chez moi. Hors de la vie. Que je croyais avoir bâtie avec toi.

Je m'éloigne. Je marche. Marche. Marche. J'entre dans un édifice de logements à louer. Je descends quelques marches. Je cogne à la porte marquée *à louer*. Pouvez-vous me louer ? Me sous-louer ? Un meublé ?

Hors de chez moi, hors de la vie

J'ai une valise à déposer. Nous traversons le couloir. Le concierge sort les clés. Nous entrons dans le meublé. Le trois-pièces annoncé. Je dépose la valise. M'assois. Je signe les papiers. Je quitte avec les clés.

Je cours. Loin du quartier. Je marche encore. Je trouve un téléphone. J'appelle l'école. Je laisse un message. Que ma fille vienne me rejoindre à cette adresse. Je cours vers les services gouvernementaux qui voudront bien m'assister. Dans la maison quittée. L'amour terminé. Le compte en banque vidé. Je cours. Avant que ne finisse le jour. Pour que, la nuit venue, nous soyons toutes les deux, ma fille et moi, dans un lieu connu. Je téléphone. Pour avoir le téléphone. Je signe. Encore. Des papiers.

Il me semble que toute ma vie j'ai signé. Mon premier mariage. La mort de mon amour dans un accident étrange, alors que notre petite était bébé. L'héritage laissé. Le retour à la vie. Les agences de voyage. Le petit commerce de poissons exotiques colorés. Notre première rencontre sur le plancher. Les chèques que je t'ai adressés, où je traçais des x pour imprimer mes baisers. Nos rêves de liberté. De vie à la campagne. De ferme et du fermier que tu es devenu alors que nous nous aimions dans les blés. La faillite de la ferme. Les tracteurs, les chevaux et les chèvres revendus pour des bouchées. Et puis la maison que j'ai mise à ton nom.

J'ai tellement signé. Pour nous. Pour toi. Que j'ai oublié de me signer dans l'amour. Dans le toujours. À genoux comme une communiante exaucée. J'ai oublié mon nom dans le dernier potager. Dans l'atelier où tu t'étais installé. Oublié de me rappeler que je devais aussi exister.

Aujourd'hui, je signe. Des papiers de pauvreté. Et chaque fois que ma main se lève pour signer. Je sais. Que je suis désormais en pays étranger. Exilée. Comme un morceau de terre que j'ai oublié d'ensemencer.

J'aurai le téléphone dans quelques jours. La vie reprendra son cours. Je devrai signer un curriculum vitae. Retourner travailler. Je devrai signer la fin de nous. De notre amour. Le début de mon exil. De ma misère. Pour prouver que je ne possède plus rien sur cette terre. Pour prouver aux fonctionnaires que j'ai besoin d'être aidée. Je devrai signer l'école de ma fille. En espérant que les questions ne seront pas posées. Et dire la nouvelle adresse pour le courrier.

Je téléphone à une copine avant de rentrer dans le meublé. Je téléphone et je raconte. La porte fermée. La valise à mes pieds. Les vêtements éparpillés. Les souvenirs rangés. Les couteaux que tu m'as donnés. Les mots explosés comme des grenades ou propulsés par des mortiers.

Elle dit viens souper. Amène ta fille. Venez chez moi. Je dis non. Je dois être là quand elle va rentrer. Lui montrer que nous sommes ensemble dans le meublé. Mais toi. Je dis. Toi. Peux-tu venir ? Elle dit j'apporte tout. La sauce à spaghetti et les cannelloni. Le basilic parfumé et un peu de vin. Et une baguette de pain. Je souris. Je ne sais pas pourquoi je souris dans la désolation et le cœur dévasté. Mais je souris et je dis oui. À la sauce. Au basilic parfumé. Au vin. Aux cannelloni. À cette baguette qui me ravit. Je donne l'adresse. La nouvelle. Celle du meublé. Elle dit tu es à côté. Je viendrai.

Je téléphone encore. Aux fonctionnaires. Aux dossiers d'urgence. Je raccroche et me précipite dans les bureaux. Où je signe encore. Pour les bons que l'on me donne et que je pourrai échanger chez l'épicier. J'ai honte d'avoir signé devant des yeux qui n'ont pas cessé de me regarder. Pour voir. Dans mes yeux. Dans mon visage. Dans mon corps et dans mon cœur. Ce qui fait que des femmes se retrouvent sur le pavé. J'ai signé les promesses de déclarer. Les engagements envers la société. Le nom de ma fille également sur le pavé. Le nom du père décédé de ma fille. Et ton nom, même si nous n'avons jamais été mariés.

Je suis sortie. Les mains dans les poches. Les yeux collés aux petites roches de l'allée asphaltée. Je suis sortie de l'édifice où j'ai déclaré que je t'avais quitté. Je regarde mes pieds. Où sont les chaînes de toi que j'avais tricotées depuis des années ? Je ne sais pas ce qui me pousse dans la journée. Est-ce le vent ? Ou le temps ? Tes mains de colère dans mon dos imprimées ? Je ne sais pas. Ce. Qui. Me. Pousse. Mais je commence à croire que ça pousse en moi aussi.

J'entre pour la première fois dans le meublé. Sombre. Aux fenêtres mal éclairées. J'erre. Dans la chambre. La salle de bain. Dans la petite cuisine. Où tout. Tout. Tout. M'est étranger.

Je m'assois sur une chaise. En fait, je m'y laisse tomber. Mes jambes n'arrivent plus à me supporter. J'enlève mes souliers. Je me sens enflée. De l'estomac. Du cœur. Du ventre. Dans mon corps trop serré. Mon souffle chute. S'estompe. Je mets le coude sur la table. Je pose ma tête dans la paume de ma main. Je tremble.

Et parce que je ne comprends pas et que mes doigts sont épuisés d'avoir tant signé. Je me mets à pleurer. À pleurer ton corps que j'adore encore. Tes épaules larges. Tes mains agrippées à ma nuque dans nos nuits d'amour. Le lit qui n'arrêtait plus de craquer. De crier. Tes lèvres. Sur moi comme un festin de roi. Mes rires et mes soupirs. Mes extases et mon âme dans les couvertures emmêlées. Je pleure. Le père de ma fille dans l'amour qu'il me portait de douceur et de beautés. Les amants de passage. Les voyages. Les pays visités. Ma mère qui n'a jamais réussi à m'aimer. Que j'ai suppliée toute ma vie de petite fille affamée de prendre l'amour que j'avais à donner. Je me pleure. Animal blessé des bandes dessinées. Je me chuchote mon nom. Mille fois mon prénom. Et m'invente deux bras de plus qui auraient le saint pouvoir de m'enlacer, me serrer, me tendrement bercer. Parce que toi. Parce que ma mère. Et l'amour refusé. Si grands en dedans de ma propre petite poupée, étouffent et meurent dans ce nouveau chagrin gonflé. J'entends ma voix qui expire dans un long sanglot que je retiens à deux mains parce qu'il y a des voisins. Ici. De l'autre côté du mur de ce meublé.

Je me lève. Marche sur mes souliers. Entre dans la salle de bain. Fais couler l'eau. Ferme le rideau. Enlève mes vêtements froissés. Entre nue dans l'eau qui pleut. Et pleure. Pleure. Pleure. Seule. Seule. Seule. Sans avoir allumé. Dans la petite pièce fermée. Sous l'eau. Pleure. Chaque goutte d'eau sur mon corps secoué. Je pleure fort sous la douche. Comme d'autres chantent. Pleure tous les papiers signés. Les télépho-nes. Le calme gardé. Les réponses données. Cette longue journée. Les vêtements dans la valise déposée. Le retour de ma fille pour le souper. La porte refermée dans mon dos. Et ta voix, tes bégaiements de colère et

Le lit qui n'arrêtait plus de craquer

de joie. Je n'arrive pas à me laver. Il n'y a plus assez de savon dans le monde entier pour me nettoyer. Comme une femme violée. Et aucun savon ici, dans la salle de bain du meublé.

J'arrête la douche. Je tire le rideau. Je sors du bain. Je dégoutte sur le plancher. Et je me remets à pleurer. Parce que j'avais oublié qu'il n'y a pas de serviette pour me sécher. Je m'assois sur le bol de toilette. Nue. Le corps perlé de gouttelettes. La peau ruisselante de mes baignades nues dans le lac, derrière la ferme, dans l'océan de mes amours pour toi. Je tends la main vers mon chandail. Avec la manche, je sèche mes larmes. Mon visage. Mon cou. Mon corps. J'ouvre la porte. J'empoigne la valise. Je la dépose sur le lit. L'ouvre. Et commence à ranger les vêtements. Bêtement.

Je finis de m'habiller. Je sors. Acheter du papier hygiénique. Du savon. Du dentifrice. Je n'ai pas assez de sous pour les serviettes. Je demande à téléphoner. La copine répond. Je lui demande de m'en prêter quelques-unes. Pour moi. Pour ma fille. Pour que nous puissions nous laver et nous sécher demain. Elle dit bien sûr. Elle apportera. Et demande s'il manque autre chose. Non, je dis. Non. Il ne manque rien. Que le souper.

Je rentre. Ma fille arrive. Perdue. Inquiète. Elle devine ce qui s'est passé. Elle dit enfin. Cela ne pouvait plus durer. Je m'étonne. La regarde. L'écoute parler. Comme je l'aime ! Soudain. L'aime tant et tant. Dans l'amour qu'elle a toujours donné. À moi. À lui. À d'autres aussi. Et les mots francs qu'elle arrive à dire sans trembler. Elle m'enlace. M'embrasse. Me rappelle que jamais nous ne nous quitterons. Que toujours nous. Nous aimerons. Me rappelle. Que depuis qu'elle est née. Je me suis toujours. Par elle. Sentie aimée.

Le sourire remonte. Le cœur aussi. Mes mains dansent autour d'elle. Je dis. La copine qui viendra souper. Le nouveau lit que nous partagerons dans le meublé. Toutes les choses que nous retournerons chercher. Et que nous ramènerons pour remeubler les jours à deux. Elle est si grande. Dans l'amour qu'elle me porte. Et si belle. Dans sa vie à peine débutée. Et moi, si contente soudain de l'amour que j'ai pour elle. Oh ! belle, belle, belle toutoune d'eau douce et d'eau salée. Belle toutoune de mes amours. Je dis ne t'en fais pas. Ça marchera. Elle dit je sais que ça marchera. Toi et moi. Et la Vie. Et l'amour un jour pour toujours. Je dis je ne sais pas pour moi. Mais pour toi je sais que ça rimera. Amour. Et toujours. Nous nous tenons la main. Comme des enfants dans un jardin. En serrant fort. Nos doigts noués.

La copine arrive les bras chargés. Le grand plat de cannelloni encore tiède. J'ouvre le four. À 350° ?

À 300. Je glisse le plat dedans. Les serviettes sont dans le sac abandonné près de la porte d'entrée. Les débarbouillettes. Du savon au cas où. Je ris parce que je viens d'en acheter. Du shampoing. J'avais oublié. Des brosses à dents. Je n'avais acheté que le dentifrice. Je ris encore de tout ce qui manque et qu'elle sort du grand sac de papier. On dirait Noël ou le camping. Le chalet ou un jour de congé. Je cours dans le meublé. Ranger les serviettes. Déballer les brosses à dents. Suspendre les débarbouillettes aux crochets. Mettre le shampoing dans le coin du bain. Je cours entre les rires de ma fille. Et les ça. Et ça. Et ça. De la copine. Qui n'arrête plus de mettre sur la table les petites choses de la vie. J'ouvre la bouteille de vin. Elle n'a pas oublié le tire-bouchon. Ni les coupes. Ni les verres. Ni les assiettes de carton. Ni les linges à vaisselle qui serviront.

Elle tend une nappe. Ma fille place les assiettes de carton. La sauce tomate et le basilic valsent entre nous. Nous enveloppent comme une histoire d'amour. Ça clapote dans le four. Ça grouille dans mon estomac. Je ne m'étais pas rendu compte que j'avais oublié de manger. Nous levons nos verres à l'amitié. À la Vie. Plus forte que le passé. Que les portes refermées. Que les valises déposées sur tous les planchers qui nous empêchent d'exister.

Nous avalons un peu de vin et un silence plein. Je lève mon verre à celui que j'ai quitté. À la colère qu'il va faire lorsqu'il s'apercevra que j'ai oublié d'acheter son pain préféré. On éclate de rire comme des filles en délire. Le vin me soûle. Et une fine douleur m'enroule.

Où es-tu, mon grand fou ? Devant la vaisselle à laver ? Dans le lit déserté ? Ou regardant par la fenêtre dans l'attente de me voir arriver ? J'aime imaginer, rien qu'un peu, que tu m'attends pour te coucher. En sachant, profondément, plus fort maintenant que jamais auparavant. Que. Jamais. Je. Ne. Te. Reviendrai.

PASTETTI, SPATETTI

– Je ne t'ai pas entendu entrer.

Elle sourit.

– Je ne savais pas que tu t'arrêterais. Que tu
viendrais faire un tour.
– Je ne le savais pas non plus.
– Veux-tu rester à souper ?
– Non, merci. C'est gentil...

La voix se casse. Fil ténu. Sans merci. La petite
dans la chaise haute crie.

– Pastetti ! Pastetti !

Nous nous retournons vers le cri. Nos sourires se
croisent.

– J'ai frappé. Tu n'as pas répondu.
– Je n'ai pas entendu.

– Moi, j'ai entendu, dit le petit sagement assis à table. J'ai dit *entrez* !

– J'étais dans la cuisine.

– Je suis contente que le petit ait dit *entrez*.

Elle s'approche de lui. Caresse ses cheveux. L'enveloppe de tendresse. Sa voix si fragile. Si petite souris, sa voix. Quand elle dit bonjour, mon grand, bonjour, bébé, je sens qu'elle va casser.

– Viens, je dis. Viens dans la cuisine. Je dois finir d'égoutter les pâtes et servir. Oui. Oui. Les pastetti s'en viennent, dis-je à la petite qui n'arrête plus de crier.

– Pastetti ! Pastetti ! Pastetti ! scande la petite.

– Viens. Dans la cuisine. Viens, je dis à l'amie en me pressant de l'entraîner.

Elle glisse ses pas légers sur le plancher. Elle a le corps des ballerines de mes livres préférés.

– Tous les enfants aiment les spaghetti.

Elle a dit ça d'un souffle. En baissant la tête. En trébuchant dans sa voix.

– Oui, c'est vrai. Mais la petite ne mange pas la viande. Et le petit recrache les oignons. Alors, je n'arrive plus à savoir comment faire cuire la sauce. Je fais cuire les oignons dans un poêlon. Et la viande dans un autre. Je fais la sauce tomate toute seule, sans rien, en faisant tomber dedans du persil. Du thym. Un peu de chili. Un rien de ketchup. Et ensuite, je remets un peu de sauce dans le steak haché, pour le petit. Et de la sauce tomate dans les oignons, pour la petite.

Elle rit. Un peu. Tout petit peu. Si petit peu. Et se met à pleurer. Les pâtes s'égouttent à côté. Loin de mes yeux qui remontent vers elle. J'ai peur. Pour le bébé pas encore né. Le bébé dans le ventre. Qu'elle caresse sous les larmes. Sous la robe à fleurs, blanche. Je dis.

– Quelque chose ne va pas ?

Je dis. Quelque chose ne va pas. Mais je pense quelque chose ne va pas avec le bébé pas encore né dans le ventre. Elle ne répond pas. Secoue la tête. C'est oui. Quelque chose ne va pas. Le plancher est fracturé. Une faille géologique sous ses pieds. Entre nous. Je suis au bord d'un précipice. Je ne sais pas sauter. Ou comment la sauver. Je ne sais même pas encore ce qu'est le danger pour le bébé pas encore né.

– Ça va refroidir. Les pâtes. Vont. Refroidir. Attends. Je veux dire. Viens. Suis-moi. Je sers les assiettes des enfants. Tu t'assois. Et.

Je m'arrête là. Sur le bout du mot. Parce que je ne sais pas ce que je dois dire. Ou faire. Après ce mot.

– Tu es sûre que tu ne veux pas rester à souper ?
– Non.

Elle dit. Non. C'est gentil.

Pâtes dans les plats. Sauce tomate et viande versée sur les pâtes que je ne coupe pas parce que le petit refuse de manger coupé. Sauce tomate et oignons, beaucoup d'oignons, sur les pâtes de la petite que je coupe petit, petit, pour qu'elle puisse avaler sans s'étouffer.

Elle dit viens que je t'aide à porter les plats. Ma main résiste un peu. Comment peut-elle vouloir aider avec toute la peine pleine, dans le ventre, le cœur, les yeux et la robe blanche ? Je dis O.K.

– Prends le plat du petit. Ça fait plus exotique quand quelqu'un d'autre lui sert ses plats. Il adore ça.

Je reviens. Elle aussi. Dans la salle à manger remplie de bébés à craquer. Deux seulement. Mais des milliers de rires. De coups de pieds. De dents prêtes à mordre pour montrer qu'elles ont poussé. De jouets réfugiés dans les coins. De crayons abandonnés sur la table. De cartons de couleur. De papiers déchirés. De miettes de pain, de croûtes séchées. De petits vêtements tachés. Le petit dit merci. Sourit. Elle glisse sa main sur la nuque du beau garçon. Caresse les cheveux un peu longs. Glisse ses doigts dedans. Lisse la nuque lentement.

Il lève la tête. La regarde. Lui demande si elle connaît Arthur. Arthur, c'est sa couverture. Sa doudou. Son compagnon de toujours.

Il dit qu'Arthur a cinq doctorats. Qu'Arthur parle huit langues. Qu'un jour Arthur se mariera et aura cent deux enfants. Elle dit qu'Arthur est bien savant. Et bien chanceux aussi pour les cent deux enfants. Elle dépose un baiser sur le front de l'enfant qu'elle appelle mon grand.

– Quand j'étais petit, dit-il.

Elle rit. Il a quatre ans. Et a déjà l'enfance au passé. Elle rit. Elle dit oui. Qu'est-ce qui se passait quand tu étais petit ?

Il dit ma sœur appelle les spaghetti des pastetti.

– Moi, quand j'étais petit comme elle, j'appelais ça des spatetti. C'est vrai, hein, maman ?

C'est vrai, je dis en m'éloignant de la vérité. Loin de la main potelée de la petite qui a empoigné la moitié des pâtes de son bol pour les écraser sur sa joue. Pour les glisser, dizaine de brins rouges et rosés, de la joue vers la bouche prête à avaler. C'est vrai, je répète, gênée par la beauté des gestes de l'enfant. Gênée de voir ses yeux de mère boire et avaler dans la peine vaste plaine, toutes les fantaisies tracées dans les dégâts du repas. Je reste à l'écart. Elle se tourne vers moi. J'attends. Je ne sais pas ce que j'attends. Mais j'attends. Je n'ose questionner. Je n'ose demander. J'attends. Qu'elle s'avance. Ouvre la bouche. Dise. Elle s'approche. Les enfants dans son dos. Sa robe blanche entre eux et nous. Et moi sous ses yeux. Elle est grande. Mais ses yeux pleins d'eau, de larmes et de silences me font grandir et tendre les bras pour la retenir. De tomber. De s'effondrer.

Elle dit. Je viens de voir mon médecin. Elle dit toujours mé-de-cin en faisant rebondir le mot. Un soupçon, une trace d'accent marseillais ou italien dans le français étésien comme un vent ou un pain croûté. Le mot médecin si lourd soudain. C'est un très bon médecin. Elle dit. Très compétent. Je sais. Je dis. Tu me l'as dis, déjà. Je suis sûre que ce médecin est une des meilleures qui soit. Mon médecin, elle arrive à dire. Mon médecin croit que le bébé sera.

Les mots sont perdus. Dans les pleurs retenus comme des hoquets de peur. Qu'il sera, tu sais. Je crois que je sais. Je ne sais pas. Que sera le bébé. Mort-né ? Je pense. Ou. Handicapé ? Sans bras ? Sans jambes ? Ou sans poumons ? Je ne sais pas. Elle ne dit pas. Elle dit tu sais. Je voudrais bien. Mais non. Je ne sais pas.

Alors, je ne dis rien. Je tends les mains. Par en dedans. En espérant pouvoir recueillir la peur. Et le bébé en entier. Je n'ose bouger. Je dis assieds-toi dans la chaise berçante. Berce-toi. Et berce le bébé. Je vais te chercher de l'eau citronnée. Avec dedans un soupçon d'amour, d'espoir, une magie inventée pour que tout soit effacé et que le bébé soit en santé.

Je fuis vers la cuisine. À reculons. Les jambes à mon cou. Par en dedans. Parce qu'en vérité je marche lentement dans un désert trop grand. J'ouvre la porte du frigo. Il reste du Perrier et un beau citron. Ma main tremble sur les couteaux. Je cherche celui que j'utilise toujours pour le citron. Je n'arrive pas à le trouver. J'en prends un autre. Je sors deux verres. Je lui réserve le plus beau des deux. Je verse le Perrier. Je tranche le citron. La seconde tranche est plus belle. Ce sera la sienne. Le cœur me défonce. Comme un dément, le cœur cogne contre mes portes d'armoires. Ça se ferme et s'ouvre dans ma tête. Comme une folie qui me guette et à laquelle je n'arrive plus à échapper. J'empoigne les verres. Les citrons valsent comme deux mamelons sur l'eau pétillante. Je respire à fond. Avant d'entrer à nouveau dans la pièce.

Elle se berce. Dans la berçante. Chantonne et invente une chanson sur les spaghetti pour les petits. Raconte aussi les pâtes qu'elle fait maison et la vieille, vieille, vieille sauce que la grand-mère de sa grand-mère faisait. Elle dit. En se berçant. Elle dit je t'inviterai et nous ferons les pâtes toi, et moi.

– Quand ? Quand ? Quand ? relance le petit.

Elle rit. Une toute petite fois. Et dit. Bientôt. Quand ma maman reviendra d'Italie avec Mémé et Papi. Je demanderai à ta maman et tu viendras passer la journée.

– Ça me va, dit le petit. Je peux me libérer le samedi. Je n'ai pas de garderie. Et je ne vais pas souvent jouer chez mes amis. Surtout quand il pleut. Sauf si c'est Antoine qui m'invite.

Elle rit petit. Mais elle rit. Un peu. Elle dit. Merci pour le Perrier. Et le citron. Tremble un peu. Trempe ses lèvres et dit. C'est bon, le citron. Et les enfants qui mangent des spaghetti. Je m'assois. Je la regarde. Elle lève les yeux. Arrête de se bercer. Je m'aperçois que mes fesses sont tendues sur le bout de la chaise. Je n'ose bouger. J'ai peur de tomber. Je cesse de respirer. Elle s'avance un peu. Son corps tendu comme un paravent. Histoire d'épargner le petit qui comprend tant de choses. Elle murmure. Les résultats de l'amniocentèse sont arrivés. Il y a un gène défectueux. Celui de la trisomie 21.

Je ne suis pas sûre de savoir ce qu'est la trisomie. Une maladie. Oui. Bien sûr. Mais ça s'appelle comment entre nous. Loin du jargon des médecins. C'est le gène. Elle dit. Le gène du mongolisme. Et laisse couler tel un rideau de pluie toutes les larmes de l'Univers. Toutes les larmes de la Terre. Toutes les larmes de toutes les mers. Sans crier. Ou hurler.

Les larmes coulent dans le silence. De mon côté. Loin du regard des enfants qui mangent, dévorent, lappent, tètent, sucent, mastiquent. Loin des spaghetti, des oignons sur le nez de la petite, dans ses cheveux bouclés et de la sauce autour de ses yeux fatigués. Elles coulent toujours, les larmes, pendant que j'essaie de trouver dans ma tête, ma vie, la salle à manger, quelque chose d'intelligent ou de brillant à tendre comme une perche pour la sauver. Ses lèvres mouillées de Perrier et de larmes disent il est trop tard pour avorter. Trop de semaines sont passées. Et puis, je ne voudrais pas qu'on l'enlève. Qu'il me soit enlevé.

Attendre... en se berçant

Je me lève. Violon et violoncelle. Je me lève et replace le napperon sur la table. Dépose mon verre. Le reprends. Cours chercher une débarbouillette. Essuie le visage de la petite qui rigole et crie.

– Pastetti ! Pastetti ! Encore pastetti !

Je demande doucement sans brusquer, en me retournant. En serrant le linge entre mes doigts étranglés.

– Sont-ils certains ? Ont-ils pu faire erreur ? De gène ? De test ? De bébé ?

Elle baisse la tête.

– Mon mé-de-cin jure qu'elle ne s'est pas trompée. Qu'il faut l'envisager. Et. Je. Ne. Veux. Pas. Que.

Attends. Je dis.

– Je ramasse les spaghetti tombés autour de la chaise. Attends. Je donne d'autres spaghetti à la petite et je reviens.

Attends, je dis à la petite qui se met à cogner sur la tablette de la chaise haute en écrasant des brins mâchouillés blancs et rosés dans ses oreilles.

– Je reviens avec les pastetti.

J'essuie la tablette. Je cours à la cuisine. Je suis dévastée. Pour elle. Pour le bébé pas encore né. Je prends les pâtes. Je les coupe. Je les nappe de sauce et d'oignons mélangés. Je pousse le plat au micro-ondes pour le réchauffer. Les secondes sont longues. Le micro-ondes prend son temps. Tout son temps. Trop de temps. La clochette tinte. J'ouvre la porte du four. Retire le plat. Trop fumant. Je souffle dessus rapidement. Fort. Continuellement. Comme si je possédais tous les vents. Je souffle en marchant. En revenant vers la salle à manger où elle a recommencé à se bercer.

– Pastetti ! hurle la petite.

J'arrache la cuiller de ses mains. Je brasse les brins. Mélange la sauce. Les oignons me regardent. Le petit se lève. La maison devient plus grande. Les murs plus hauts. Dans ma tête et dans mon dos. Je brasse en soufflant. Je retiens les mains de la petite qui se tendent vers le plat.

Le petit sort de la pièce. Il dit je vais jouer dans le salon. Je dis bien sûr. Elle dit amuse-toi bien comme un beau garçon.

J'abandonne le plat. La petite comme une affamée, un petit coquin du sort, penche la tête vers le plat. Sort la langue. Tente d'attraper des bouchées. Relève la tête. Plonge la main. La referme et empoigne une montagne de brins qu'elle pousse dans sa bouche de bébé.

L'amie dit c'est beau, un bébé qui s'empiffre de spaghetti.

– J'avais besoin de te parler. De te dire que je ne vais pas le dire à mon amour. Qu'il ne doit pas savoir ce que je sais. Et ce que tu sais maintenant.

– Que vas-tu faire ? Que ? Vas-Tu ? Faire ?

Elle se berce. Pousse ses épaules au fond de la chaise. Regarde la petite. Que je me mets à regarder aussi. Un silence. Deux. Trois silences. Elle dit. Sans me regarder. Sans brusquer. Sans mentir. Sans éviter de regarder la vérité. Elle dit. Attendre. En se berçant. Lentement. Doucement.

– Attendre. Et. Espérer. Qu'ils se soient trompés.

Elle me regarde. Elle est si belle. Dans l'orage et la peine. Si grande et si tendre. Dans le chagrin comme une peau de satin. Si fragile et si généreuse de tout de rien. De son temps. De sa vie. De ses amis. De ses petits plats cuisinés. De ses invitations à souper.

Elle cesse de se bercer. Finit son Perrier. Elle avance sur sa chaise. Pose ses yeux sur les miens. Loin, très loin. Dans la mer. L'océan. L'Univers. La Terre. Me plonge entière dans les siens. Me sourit. Tendrement. Gentiment. Complètement. Totalement.

Je n'arrive plus à bouger. Je voudrais tout lui donner. Ma vie. Mon sang. Un de mes propres bébés. Je voudrais prier. Le Ciel et la Terre. L'Univers entier. Marcher à genoux d'ici à Jérusalem. Me faire crucifier pour changer le monde. L'Histoire. Chanter une berceuse. Invoquer les dieux et les déesses. Danser une danse de la pluie. Faire brûler de l'encens, de la sauge sacrée et du foin d'odeur. Appeler les esprits. Prendre une photo d'elle. La mettre sous une pyramide dorée. Y déposer quelques pierres. Et croire. Croire. Croire. Que la magie, les magiciens, les sorciers et les devins peuvent, par leur seul présence, recoudre le monde. Pénétrer les ventres et s'assurer que les bébés naissent en santé.

Je dis. Ils se sont trompés. Comme si. Je. Savais. Comme si je. Possédais l'Ultime Vérité. Je. Dis. Ils se sont trompés. Je pose ma main sur son ventre. Je touche la robe blanche. Le bébé que j'imagine rosé. Je ferme les yeux. Elle respire à peine. Je tremble en dedans. Mais ma main sur le ventre gonflé s'imprègne de beautés. Je dis. Et je répète. Ce bébé est magique. Il est. Un. Bébé. Il est. Ton. Bébé.

Et derrière les yeux fermés. Dans une seconde d'éternité. J'imagine et j'espère un petit enfant. Un poupon langé. Une petite fille qui saute et qui danse dans l'éternité. Quelques cheveux bouclés et des yeux d'océan bleus et peuplés. Je respire. Elle souffle à peine. Nos cœurs se resserrent autour de la main qui n'arrive plus à quitter le ventre. Elle se lève. La main glisse.

Elle dit je dois quitter. Retourner. Faire le souper. Me préparer pour la soirée. Nous sommes invités.

– Tu devrais te reposer. T'allonger. Fermer les yeux et glisser dans le sommeil. Rêver.

Elle ne dit rien. Et puis elle dit. Je ne veux pas qu'il se doute de quoi que ce soit.

– Tu dois me promettre. Me promettre d'espérer. De ne jamais cesser d'espérer. Et de ne pas. Lui dire. Que je t'ai dit. Cela.
– Je promets. Je jure. Je te le jure. Jamais je ne le dirai. Jamais.

Mais. Je respire. Chuchote. M'approche et dis.

– Je suis persuadée que le bébé est magique. Tu verras. Tu. Verras.

Elle est sortie en disant au revoir, mon grand. Au revoir, bébé, à la petite qui s'est endormie dans son bol de pastetti. C'est beau, les bébés qui dorment. Tout sales. Tout rouges. Dans les pastetti.

Elle dit excuse-moi d'être venue. Et ouvre la porte.

J'avance vers elle. Elle dit excuse-moi d'être venue sans prévenir. Pendant le souper. Et les petits. Et la sauce à spaghetti. Elle dit sur le balcon. Merci de m'avoir écoutée. Et moi, je ne dis rien. Je n'arrive pas à trouver le sens des mots à remonter comme une montagne sacrée.

Non. Non. Je dis. Non. Tu ne m'as pas dérangée. Je suis toujours contente de te voir. Tout le temps. Surtout pendant le souper. Je. Je. Je suis contente que tu sois venue. Je suis désolée de ne pas pouvoir te rassurer. J'aurais tant aimé. Pouvoir. Mais je ne sais pas. Comment.

Elle sourit. Dans l'escalier. Près de l'auto. Lève la main. Le sourire très haut. La bonté partout. Dans la robe. Le regard. Les cheveux noirs épais, légèrement remontés. Elle ouvre la portière. Elle est encore entière. Femme et Univers. Femme et amie de la Terre. Porteuse de sourires et de géants. D'histoire et de langues parlées. Elle est. Intacte. Blanche dans la robe.

Et le vent. Dans le soleil couchant. Géante de grandeur dans la peine et le cœur. Je m'assois sur la marche d'escalier. Du balcon. De bois. La porte entrouverte sur la salle à manger.

Je la regarde s'asseoir dans la voiture. Étirer le bras et ouvrir la fenêtre. Son regard de l'intérieur de la voiture. Dans l'ombre un peu. Ses yeux si perçants. Et la rondeur du ventre dans le corps allongé. Elle fait un signe de la main. Démarre. S'éloigne, la main levée.

Je reste là. Des semaines. Des mois. Des années. Quelques minutes à peine, en vérité. À la regarder partir. À songer. Au bébé. À l'amour qu'elle a tant et tant à donner. À tout le temps passé à attendre que le bébé enfin se décide à se former dans le ventre. À tout. À son chéri qui ne sait pas. À moi qui sais. À mes propres bébés. À ce secret que je ne pourrai partager. À mes mains vides. Impuissantes. Incapables de sauver quoi que ce soit. Qui que ce soit. Dans les peines portées comme des secrets étrangers dans le monde entier.

Je rentre. La salle à manger est un vaste chantier. De jouets. De chaise renversée. De napperons tombés. De plats abandonnés. De sauce sur les travaux d'étudiants que j'avais commencé à corriger. De spaghetti par terre, écrasés. De traces de sauce sur le plancher. De tête de bébé endormi dans la sauce à spaghetti.

D'habitude, j'ai le cœur coincé et tendu d'avoir toujours tout à recommencer. De voir les pages blanches tachées de doigts d'enfants. D'habitude, je grogne comme une ourse mal léchée en ramassant les décombres du souper. D'habitude, je rythme mes pas de bruits de vaisselle entrechoquée, de couteaux, de fourchettes retombant dans les assiettes. Mais le bébé dans les spaghetti. Et le ventre tout rond que j'ai envie de sauver et la peine immense de l'amie, me font remuer le silence. Semer de douceur les gestes tendres. Réconcilier les doigts dans les napperons. M'agenouiller devant les restes à ramasser. Embrasser le plancher sans me sentir humiliée.

Je me penche comme une fée. Me relève et glisse sur les planches de bois qui mènent de la salle à manger à la cuisine abandonnée. Je pénètre le temps. L'allonge et l'étends. Je viens m'asseoir à côté du garçon assis dans le salon. Je le prends dans mes bras. L'embrasse longuement. Le flatte comme un ourson en peluche. Et cherche du regard. De la tête, du cœur. Ce que je pourrais trouver à donner, à offrir à la Vie. À l'immensité de l'autre côté pour adoucir la peine sans trahir le secret confié.

Je continue à ranger. Reviens dans le salon pour laver les mains du garçon. Replace dans un temps infini la pièce, chaque chose, petit à petit pour retracer un semblant d'ordre dans ma vie. Je fais couler un bain. Je déshabille le garçon. Mes doigts plongent dans l'eau et arrose le petit pour le faire rigoler. Je le savonne. *Faire, faire, faire un tit cheval, val, val, val. Faire, faire, faire une tite jument, ment, ment, ment. Faire, faire, faire un tit poulain, lin, lin, lin. Beau bras d'or, beau bras d'or, beau bras d'or. Et le garçon avec.* Il rit. Se secoue hors de mes bras. Ébouriffe ses cheveux. Tire la bonde.

Je l'aide à sortir. Il se sèche. Je retourne vers la petite endormie. Regarde son visage rose. Rouge. Couleur bébé tout sali et taché de pastetti. Je la soulève lentement. La colle sur moi. Sans craindre de me salir. Les brins de spaghetti tombent sur mon épaule. Sur ma chemise noire. Bébé bouge à peine. Ronfle un peu. Les oignons sont partout. Sur son nez. Sur sa joue. Sur son front. Ses paupières. Dans son oreille gauche. D'une main, je la tiens contre moi. De l'autre, j'attrape la débarbouillette. J'enlève le plus gros.

J'entre dans ma chambre. Je la couche sur le lit. Je sors. Aide le petit à boutonner son pyjama. Je fais *chut* en mettant mes doigts sur mes lèvres. Je dis. La petite dort. Ne fais pas de bruit. Je la change. Je la lave. Je la couche. Et j'apporte le dessert dans le salon. Le dessert que nous prendrons. Ensemble. Toi et moi. En amoureux, qu'il dit. En amoureux, je dis.

J'ouvre l'armoire. Je sors un pyjama. Je rince rapidement la débarbouillette. Mets un tout petit peu de savon de bébé. Reviens dans la chambre à peine éclairée. Sur le lit, la petite a ouvert les bras à la nuit. Je lèche de la débarbouillette, par petites caresses de tendresse, le visage, les mains, les oreilles, le cou. Je déshabille sans trop le bouger le petit corps. Un bras. Un autre. Une jambe. L'autre. Je dépose le bébé sur le pyjama propre. J'ai pris le plus grand. Le plus long. Le plus évasé. Pour pouvoir le lui mettre sans la réveiller. Ses petits pieds sont chauds. Ses orteils écartés. Ses lèvres bougent. Son souffle continue de marquer la longue marche des bébés dans l'histoire de l'humanité.

Je me mets à pleurer. À prier. À souhaiter que le bébé dans le ventre soit tout ce qu'une mère peut espérer de rondeur, de pleurs, de rires et de beautés. Je prends la petite dans mes bras. Je la porte comme un trésor sacré. Jusqu'à sa chambre. La dépose comme un bouquet de muguets dans la couchette. Couche Boubou, son toutou préféré, à ses côtés. La couvre du drap de petites souris qui dansent dans les bois. Sors de la pièce. Remonte. Coupe le gâteau. Le nappe de saucechocolat, de noix, et orne le tout d'un macaron de chocolat.

Le petit crie de joie.

– C'est beaucoup ! Plus encore que ce que j'avais imaginé.

Il est heureux d'avoir autant de dessert, autant de chocolat, autant de sauce et un macaron qu'il avale en disant regarde comme je suis glouton. Je ris. Souris. Le regarde avaler. Se *chocolater*. S'enivrer de ce dessert improvisé.

Quand il sera couché, je mettrai tout mon amour et toutes mes pensées sur le bout de mes doigts. Et. Je. Les. Laisserai s'envoler vers le ciel. Dans l'espoir. L'espoir qu'elles toucheront la Lune et les étoiles, Uranus, Vénus, Neptune et la Voie lactée. Qu'elles seront, mes pensées, tels des oiseaux de nuit, porteuses d'une prière qui sera exaucée.

Demain, je me lèverai.

Les semaines. Puis les mois passeront.

Mémé et Papi seront en visite chez l'amie. Le petit ira passer la journée. Fera des pâtes et découvrira la vieille, vieille, vieille sauce de la grand-mère de la grand-mère. J'arriverai pour le souper. Je m'exclamerai que ce sont les meilleures pâtes depuis le début

Pastetti, spatetti

de l'humanité. Le petit sera fier. L'amie l'embrassera. La petite criera pastetti ! Mémé et Papi se mettront à rigoler.

Jamais, au grand jamais, nous ne reparlerons du secret partagé.

Les semaines encore passeront. Et puis, un soir. Un soir d'août. Un soir de long trajet loin de la maison et de l'amie. Le téléphone sonnera. On m'annoncera que la petite est née. Parfaite. De toute beauté. Et mon cœur, mon cœur, ma vie, mes pensées pousseront un long soupir. Long comme la route dessinée entre nous. Long comme l'amitié nouée. Long comme l'histoire de l'humanité. Et jamais je ne saurai qui, de la Vie ou de l'Amour ou des pastetti, aura fait en sorte que le bébé arrive sans l'ombre d'un gène étranger.

LA SAINTE-ANGÈLE

On me paye largement pour mépriser. Sur le papier. Les artistes qui nagent dans la facilité. Les starlettes qui font des recettes à la télé. Les écrivains boiteux qui clopinent dans les téléromans. Les chanteurs de pomme qui font patate dans leur spectacle. Et la trop grande popularité de filles et de garçons qui devraient passer leur vie à roter plutôt qu'à chanter. On me paye et j'en suis fière. Pour les descendre. Les caler. Leur arracher les yeux. Les démembrer et les. Dénoncer pour les ratés qu'ils sont à la face de l'humanité.

Cette nuit, mon venin sacré devrait se cracher sur une vedette adulée dans le monde entier. Je suis armée, bétonnée, ferrée pour l'écraser sur papier comme une coquerelle quétaine dont l'ultime destin est d'être exterminée.

L'écran de mon ordi est ensablé. La page symbolique reste immaculée. D'ordinaire, ça m'excite d'être confrontée avec la pureté. D'avoir à affronter la feuille vierge que je me dois de salir et de violer pour que la beauté de mon propre style ne soit pas affectée. Mais ce soir, je me sens lasse et fanée.

Mon chef de pupitre a téléphoné. Il a crié. Grouille ton cul. Brasse-toi le boubou d'acier trempé. Et vomis-nous un texte tartare de ton cru. Je n'ai pas frémi. Je ne frémis jamais devant l'autre moitié de l'humanité. Je me souris et, chaque fois, je me dis qu'il ne perd rien pour attendre. Avant d'attaquer. La page. Le clavier. Les mots de mon propre dictionnaire de la risée. L'affreux jojo ou le méchant Boris qui s'émiettera sous ma langue acérée.

Je fais profession de tuer. Les gros égos. Les gros nonos. Les imbéciles heureux, les sans-génie de la vie. Artistique ou poétique. Les *théâtreux*. Les vidangeux de la *pop-lit*. Les *écriveux* de romans *so-so fi-copains*. Les petits. Qui n'arrêtent plus de lécher nos pieds journalistiques.

Mais ce soir, allez savoir pourquoi, je. Me. Sens. Fatiguée. Incapable de taper sur quoi que ce soit. Incapable de lever le bras. Ou le petit doigt. Pour leur décrotter le nez. Incapable. D'armer mes chiens de fusil pour descendre une vedette du showbiz.

Ça ne me ressemble pas. Pas une miette de moi ne mange de ce pain-là. Ça me fout le cafard, de ramper devant le papier. Et de sentir que mes mots, ma tête sont en train de ramollir comme des nouilles, des macaroni, des spaghetti trop cuits.

Je me fouette. Me gifle. Me pousse. Je m'assois pourtant. Je me laisse flotter et glisser comme une linotte sans tête. Au-dessus du papier qui sous mes yeux semble valser. Et de l'écran qui semble bouder. La dernière débilité du *hit parade* joue dans ma tête et revient me hanter. Me polluer. M'intoxiquer d'insignifiance.

Je crie. Assez ! *Vade retro Santana*. Arrière, démons ! Quittez ce corps médiatique. Libérez ce profil d'excellence. Au pieu, vampires de la facilité ! Dodo ! Couchés ! Face contre terre, malfaisants de l'intelligence et gourous de la débilité.

J'aimerais lever le pied. Pointer le talon de mes souliers. Écraser les imbéciles heureux de l'actualité. Les broyer. Les mutiler. Les faire disparaître jusqu'à ce que l'Art s'ensuive. Mais mon talon devient guenille. Il épouse les torchons qui se tordent sur mon plancher. Que faire ? Ordinateur du Ciel et de la Terre. Éclairez-moi. Exaucez-moi. Guidez mes pas, mes doigts, mon instinct de tueuse à gages loin, très loin de la médiocrité. Élevez-moi à la une. Publiez-moi dans un publi-reportage sur les disques rigides. Faites de moi une statue du succès qui transcendera pour des siècles et des siècles. Maintenant et à l'heure de mon Art. Ainsi soit-il de moi.

Je reste assise. Je n'ai pas encore soupé. J'ai faim. De rouge. De sang. De cruauté. De sauce à spaghetti où les grosses légumes du monde entier se retrouveraient hachées, pelées ou râpées. Ça bout. Dans ma vie. Mon estomac. Mon cœur de sans cœur pour la populace des rats de ville. Et de chants. Pour les marionnettes qui s'improvisent et jouent au théâtre de petits shows sans saveur et sans odeur. Que faire ? Quand on est si peu à reconnaître le vrai, le beau, le noble et le grand. Que faire d'autre que se tuer pour tenter d'insuffler un soupçon de vitalité à tous les *morons* qui nous lisent comme de fidèles attardés à l'heure du déjeuner. Que faire d'autre ? Que de crucifier ceux et celles que nous jugeons inaptes à exercer leur métier.

Ça sent le brûlé. Dans ma vie. Dans ma cuisine d'été. Sur le bord de ma plage privée. Ça colle au fond des casseroles. Comme une sauce trop lourde que seuls les épais et les épaisses accepteraient d'avaler. J'ai peur. De la tiédeur. Des petites choses. De la vie misérable de la majorité. J'ai peur. De me salir. De me tarir. De me dessécher. De perdre le feu sacré. Celui qui brûle et consume. Qui purifie et sanctifie. Celui qu'aucun pompier réel ou inventé ne saurait éteindre ou faire avorter. Je ne veux rien de moins qu'immoler ceux et celles qui brillent dans l'imbécillité.

Le téléphone sonne. Me brusque. Résonne. Entre mes tempes. Mes seins camouflés. J'étire le cou. Le corps. La main. Mes yeux lisent le numéro inscrit sur l'afficheur. C'est mon chef de pupitre mal famé et affamé. Je laisse sonner. Qu'il aille au diable. En enfer. Avec tous les autres. Ceux de la télé et des autres métiers. Et qu'il fasse son chiffre. Comme nous tous. Argent comptant. Tes bébelles et dans ta cour.

Tchin-tchin ! *I drink to that* !

Je me verse un gin. Pour oublier. Avec tonic. Pour me tonifier. Je marche lentement sur le plancher des vaches. Toutes celles que j'ai écrasées dans les articles publiés. Je me penche. C'est rare. Je me mets à genoux. C'est la première fois. Mes yeux se rivent au sol. Et. J'aperçois. Les noms. Prénoms. Lieux. Dates. Heures de tombée. Dates de parution. Incrustés dans le bois blond de mon plancher. Je fais non de la tête. Le gin tente de sauter par-dessus bord. Je regarde encore. Je rêve. Ou. Je suis en train de me faire avoir par un gag-surprise pour la télé. Je relève la tête. Je fouille tous les coins de mon appartement. Je n'ose bouger. Ou même penser. Ils ont peut-être mis des caméras-vérité dans les coins de ma vie privée. Ce petit orifice-là. Au-dessus de la fenêtre. Mais. Non. Ça donne sur la véranda. Et le mur complet est vitré. Allons. Ma vieille. Allons. Remets des glaçons dans tes idées.

Je me rassois. Je dois écrire. Rédiger. Médire. Digérer. Pousser mes doigts et trancher de ma vérité les platitudes des vedettes qu'il faut mépriser. Personnellement. Et dans mes articles louangés. J'écris en mon nom. Suprême. Et adulé. J'écris sur la ligne de feu. Je tire. Et élimine de ma vue, ces avortons de l'art qui éclaboussent de leurs simagrées la véritable beauté. J'attaque. Ça y est.

Le génie est de retour. C'est ma première phrase.

Et sans comprendre. Je n'arrive plus à me relire. Mes facultés sont affaiblies. Les lettres semblent différentes. Mes yeux n'arrivent plus à déchiffrer. Et si quelqu'un avait drogué mon gin ? Empoisonné le plat que j'ai mangé ce midi ? Le poison prendrait-il autant de temps avant de commencer à agir ? Ce poison n'aurait-il pas agi avant mon retour à la maison ? Il est peut-être télécommandé. Il existe peut-être dans la société des déséquilibrés qui acceptent de former des commandos de l'ignorance et qui font sauter les cerveaux de ceux qui pensent.

J'avale le reste du gin. Je m'en verse un autre. Un. Autre. *One. Only one. For the road. The road from here to eternity.*

Je frémis. C'est rare. J'ai peur. Dans ma tête. Et mon cœur de sans cœur. Et si tous les petits que j'ai mutilés, castrés et excisés sur le papier, avaient décidé de se venger ? En s'infiltrant. Dans ma vie. Mon ordinateur. Ma page à écrire. Mon dîner digéré. Mon gin tonifié.

Je me relis.

Le génie est de retour.

Je n'ai pas de deuxième phrase. Je n'arrive pas à l'entendre.

Je n'arrive pas à assassiner la vedette. À la saboter. Ou à la faire exploser. Je ne fais que penser que mon dîner était peut-être empoisonné. Si c'était ça, j'aurais des crampes. Des douleurs. Des maux de ventre. Je téléphone à l'urgence. Au centre anti-poison. Je m'informe. Tout. Je veux tout savoir. Y a-t-il des poisons sans symptômes ? Qui agissent sans qu'on s'en doute. Quelles en seraient les traces ? Même imperceptibles. Quelles seraient-elles ? La fatigue. De la difficulté à se concentrer.

Je raccroche. Tu sais très bien que les petits ne se révoltent pas. Qu'ils ne mordent pas la main qui les écrase. Qu'ils sourient quand tu dénonces leur manque d'intelligence. Qu'ils restent dans leur misère. Leur tanière. Leur antre de saletés. De misérabilisme.

Je respire un peu. Ça me soulage de m'entendre penser. J'avale une longue gorgée. J'ai mis trop de tonic, cette fois. Mon gin est noyé. Délayé. Anémique. Faible. Anorexique. Ça ne me ressemble pas d'avaler un liquide délavé. Sans corps. Sans nerfs. Sans identité.

Je délaisse l'ordinateur. Marche un peu. Je redécouvre les meubles. La qualité des objets. La façon dont ils sont disposés. Je me laisse tomber dans le fauteuil. Ferme les yeux. Réalise tout à coup. Que c'est la première fois que je m'assois là. Ici. Entre les bras douillets de mon fauteuil préféré. La tête me tourne. Le téléphone se remet à sonner. Je l'ignore. Enlève mes souliers. Mes pieds libérés semblent pour la première fois respirer. Je sombre. Et me laisse promener. Dans ma tête et mon corps ballottés. J'imagine des vagues. Apaisantes. Des surfaces de rosée sur le tapis. Sous mes pieds. Je tends le bras. La main. Les doigts. Sans même regarder. Vers la table à café. Une antiquité que j'ai achetée après avoir assassiné un petit chanteur de chansonnettes à l'eau de rose. Rosée. Mes doigts attrapent un crayon. Posé là. Je ne m'en souvenais pas. Un papier. Les doigts sont prêts à prendre une dictée. Celle des Amériques, sans faute, ce serait bien.

Une chanson d'amour monte de mes pieds. Jusqu'à mon gosier de plus en plus serré. Mes yeux ne s'ouvrent plus. Fermés, les yeux, sur les restants de l'humanité. Je glisse vers le rêve. Le rêve éveillé. Un rêve imbécile de chanson d'amour. Je lutte. Et tente de résister. À la chanson. À l'amour avec un grand *A*. J'entends. Je ne sais pas comment cela est possible. Mais. J'entends des voix de femmes qui sortent des cuisines. Des voix d'enfants qui crient famine. Des voix d'hommes qui pleurent la honte de leur genre. Des voix de vieux et de vieilles. Qui sont en train de crever. Je suis terrorisée de l'intérieur. Parce que. Toutes ces voix portent la misère. Et que j'ai tout fait dans la vie. Pour. Que. La misère. Reste loin. De la mienne. J'ai tant bûché. Et tant craché. Pour que jamais rien de sale, de petit, de monstrueux ne vienne se coller à mes souliers. Mais mes souliers sont tombés. Petits cuirassés. Mes souliers m'ont abandonnée. Et mes pieds nus laissent, comme une porte ouverte sur la nuit, entrer des odeurs de pauvreté et de sauce à spaghetti. Des images me quittent. Emportent des ordinateurs et des micros dans une tornade de vent et d'accidents de métros. Le Sarin a sauté de son continent dans mon salon. Ça fait *aoum* sous mes talons.

J'ai peur. Et. Je ne sais pas prier. Dieu existe-t-Il ? M'aime-t-Il aussi ? Les anges sont-ils autre chose que de petits cupidons cupides et ronds ? Ont-ils des ailes vastes et blanches comme des pages à écrire ? Portent-ils des messages ? Et sauvent-ils des âmes ?

Toutes ces pensées étranges m'ont envahie. C'est un coup d'État dans mon régime de bananes que je n'attendais pas. Je suis acculée. Au mur préfini de ma vie. Collée au dos de tous les soleils qui se lèvent le matin sur la misère et la faim. Dans ma tête. Je tombe. Comme tombent les pleurs dans une cour arrière baignée de noirceur. Je tombe. Dans un ciel de nuit. Un baldaquin de tendres baisers. Je tombe à genoux. Comme une petite fille aux cheveux roux. Je tombe. Et tombe. Et pleure. Des larmes salées qui exhalent l'odeur de chèvrefeuille et celle, perdue, du bonheur.

Mes doigts s'agitent. Me quittent. Et écrivent. Une voix monte. Comme monte la joie dans le cœur des enfants survivants. La voix porte des dentelles, des

Je tombe dans un ciel de nuit

rivières, des étoiles et des prières. Mes doigts dérivent. Loin de moi. De ma vie. Et des cœurs que j'ai assassinés sans compter autre chose que le salaire de mes journées. Je pleure. Et ça pleut sur mes joues de loup-garou. Je n'arrive plus à dominer. Ni mes peurs. Ni mes pleurs. Ni les cendres de ceux que j'ai couverts d'horreur. Qui reviennent à la vie pour me dire qu'ils m'ont pardonnée. Je m'entends crier. C'est moi. C'est moi. Qui ai signé tous ces articles sanglants. C'est moi qui ai tué, meurtri, ensanglanté vos vies. Pardonnez-moi. Car je ne savais pas ce que j'écrivais comme une poupée de cire. Ou une poupée de son.

Les starlettes dansent dans mon salon. Sous mon nez qu'il me faudrait moucher. Et pousse la vie. Dans mon désert. Et le gazon dans mon univers. Poussent les fleurs. Et des milliers d'odeurs qui mijotent et tremblent comme une sauce destinée à nourrir les anges.

On dirait que dans ma vie bout une divine sauce à spaghetti.

Je n'arrive plus à me rappeler quand le téléphone s'est arrêté de sonner. Ni quand il faut que mon article soit expédié. Je ne me soucie plus que du papier sous mes doigts envahis par la Foi. C'est fou. Totalement fou. Je suis en train de perdre du terrain. De perdre la tête. De perdre l'esprit. Sans chagrin.

La voix qui dicte les mots. La voix de femme qui peuple ma cuisine. Arômatise, la voix, ma vie entière d'effrois et de parfums délicats. Ça sent le sirop de maïs, le clou de girofle, les tomates, l'ail, la sauce Worcestershire, la moutarde et le céleri. Les oignons. Les carottes. Et les épices italiennes. Un peu d'origan. Et les feuilles de laurier. J'aperçois César drapé d'une toge blanche. Cléopâtre qui vient de sombrer dans le néant. Un serpent repentant qui glisse entre les bras d'une reine d'Égypte ancienne. Des chevaliers, des hommes de fer, montés sur des destriers, s'affrontent sous mes yeux. Et toujours. J'entends la chanson d'amour qui monte du corps errant d'un troubadour.

Mes doigts s'arrêtent. Épuisés d'avoir tant noté. Je n'ai plus l'habitude dans la main, d'écrire à main levée. Le crayon retombe sur le papier. Loin de moi. De mes yeux clos. De la voix qui me quitte. Comme une nébuleuse dans la nuit.

J'ouvre les yeux. Je n'ai pas réussi à cesser de pleurer. J'ai les genoux endoloris. Et la peau des joues marquée, je le sais. Je regarde. La télé fermée. Le tapis rose cendré. Mes souliers qui semblent s'embrasser par le bout, par le nez. Mes pieds que je sens, engourdis et tendrement aimés. J'essuie mon visage à même la manche de ma chemise. Je me sens pauvre. Délaissée. Abandonnée. Pleine de trous. D'orifices. Transpercée.

Je regarde par la fenêtre. Je n'entends rien d'autre que le vent qui s'est levé. Que l'ordinateur qui ronronne dans la pièce d'à côté. Je me sens lourde à bouger. Catastrophée par toutes ces pensées que je n'ai pas su empêcher.

Ridicule. Absurde. Imbécile. Et. Folle. Mais. Si calme au-dedans. Avec un cœur qui respire. Calmement. C'est étrange. Ce sentiment de bonté autour de mes pieds. De larmes versées. Je respire un bon coup. Je ne sais pas si je dois me lever pour écrire. Ou aller me coucher pour dormir. J'ai envie d'aller danser. De parler à des gens qui me parleraient de leur amour pour leurs enfants. D'écouter la Terre trembler. De me coucher par terre pour l'entendre gronder.

Je tends la main. Vers la table. Vers l'antiquité. Vers le papier. Les doigts se mettent à bouger. Comme si de petits cœurs, de petites veines, s'y étaient infiltrés. Je prends. Doucement. Le papier. Que je ramène vers moi. Entre mes doigts. Je baisse les yeux sur les traces de crayon. Sur les mots. Sur l'encre fraîche. Couchée sur le papier.

Je m'étonne. C'est une histoire. Là sous mes yeux. Une courte histoire prête à s'écrire avec, au centre, une recette complète de sauce à spaghetti.

Ai-je été possédée ? Par un esprit. Ai-je transcrit une pensée dictée par une voix de l'au-delà ? Les esprits peuvent-ils communiquer aux humains des recettes ?

J'ai peur soudain. Plus que jamais. D'avoir été victime d'une vaste supercherie par télépathie. Je lis les mots. Tous les mots. Je reconnais mon écriture sur le papier. Mais les mots me sont étrangers. Je souris. Aux mots. À l'encre. Aux odeurs qui montent du papier jusqu'à mon nez.

Le téléphone sonne. Je me lève. Sans me séparer du papier. Je réponds. Il crie. Il hurle. Il menace. De. Ne. Pas. Me. Publier. De couper mon salaire. Ou de me jeter aux chiens écrasés. Je dis. Sans peur et sans reproche. Comme un chevalier qui aurait sauvé de la mort, une souris, une fleur, un géant ou une bonne sœur. Je dis. J'ai le texte. Il est prêt. Je l'envoie à l'instant. Ne t'inquiète pas. C'est amusant. C'est l'histoire d'une journaliste, d'une critique, quelqu'un qui pourrait être moi. C'est l'histoire d'une mémoire qui flanche. D'un rêve qui devient réalité. D'une réalité qui dépasse la fiction. La journaliste lévite. Tremble. Et entend des voix étranges. Celle, entre autres, d'une bonne sœur. D'une religieuse. D'une sainte qui dicte à des femmes. N'importe lesquelles. Toutes les femmes qui peuplent des cuisines. Elle dicte, la sainte, la recette d'une sauce divine. Qui portera les hommes et les femmes dans des extases jamais auparavant éprouvées. J'ai la recette aussi. Le titre ? Le titre. Attends. Je l'ai aussi. *La Sainte-Angèle.* Oui, c'est ça. Je dis. Tu. As. Bien. Entendu. *La Sainte-Angèle.* Le chef de pupitre rit. Rigole. Et dit. C'est sœur Angèle qui va aimer ça.

Tu crois ? je demande. En me surprenant pour la première fois. À douter de moi.

Reproductions des œuvres de Jacques Jourdain

Achevé d'imprimer
en septembre 1996 sur les presses
de l'imprimerie H.L.N.
de Sherbrooke.